ALL YOU NEED TO PLAY 14 SUPERGRASS SONGS

Supergrass

CHORD SONGBOOK

VOLUME 1

International MUSIC Publications

International Music Publications Limited
Griffin House 161 Hammersmith Road London W6 8BS England

Series Editor: Sadie Cook and Ulf Klenfeldt

Music Editorial & Project Management: Artemis Music Limited
Cover photo: Redferns Music Picture Library
Design and production: Space DPS Limited

Published 1999

Exclusive Distributors

International Music Publications Limited

England: Griffin House
161 Hammersmith Road
London W6 8BS

Germany: Marstallstr. 8
D-80539 München

Denmark: Danmusik
Vognmagergade 7
DK1120 Copenhagen K

Carisch

Italy: Via Campania 12
20098 San Giuliano Milanese
Milano

Spain: Magallanes 25
28015 Madrid

France: 20 Rue de la Ville-l'Eveque
75008 Paris

Supergrass

Tablature Key

Hammer-on

Play the first note with one finger then 'hammer' another finger on the fret indicated.

Pull-off

Place both fingers on the notes to be sounded, play the first note and, without picking, pull the finger off to sound the lower note.

Gliss

Play the first note and then slide the same fret-hand finger up or down to the second note. Don't strike the second note.

Gliss and restrike

Same as legato slide, except the second note is struck.

Quarter-tone bend

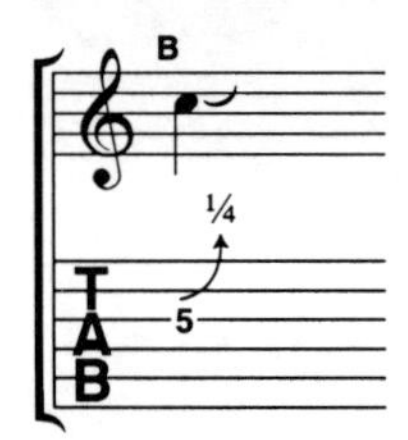

Play the note then bend up a quarter-tone.

Half-tone bend

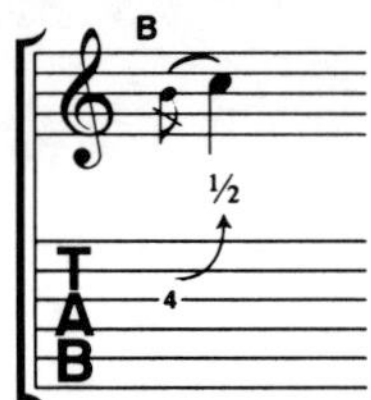

Play the note then bend up a semi-tone.

Whole-tone bend

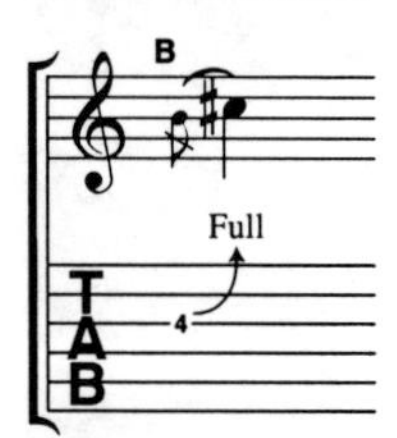

Play the note then bend up a whole-tone.

Bend of more than a tone

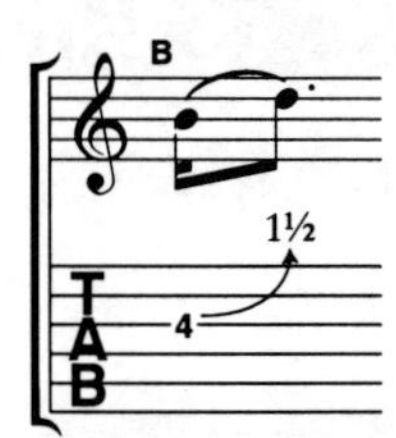

Play the note then bend up as required.

Bend and return

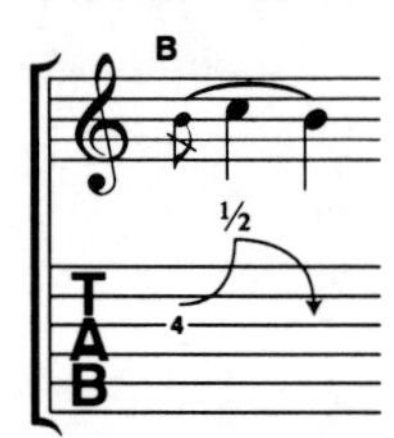

Play the note, bend up as indicated, then return back to the original note.

Compound bend and return

Play the note then bend up and down in the rhythm shown.

Pre-bend

Bend the note as shown before striking.

Pre-bend and return

Bend the note as shown before striking it, then return it back to its original pitch.

Unison bend

Play the two notes together and bend the lower note up to the pitch of the higher one.

Double stop bend and return

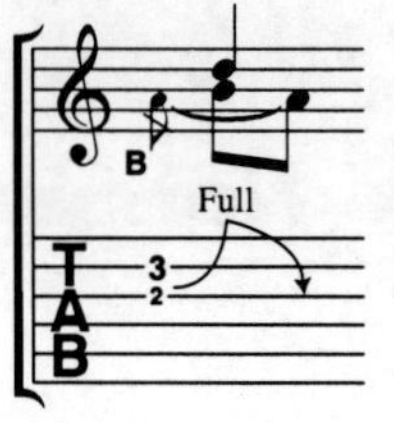

Hold the top note, then bend and return the bottom notes on a lower string.

Bend and restrike

Play the note, bend as shown, then restrike the string where indicated.

Bend and tap

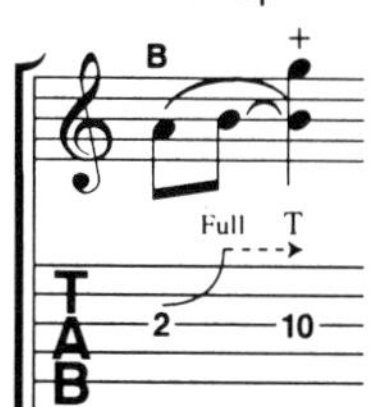

Bend the note as shown and tap the higher fret while still holding the bend.

Vibrato

Rapidly bend and release the note with the fretting hand.

Trill

Rapidly alternate between the notes indicated by continuously hammering on and pulling off.

Tapping

Hammer ('tap') the fret indicated with the pick-hand index or middle finger and pull off the note fretted by the fret-hand.

Pick scrape

The edge of the pick is rubbed along the string, producing a scratchy sound.

Muffled strings

Lay the fret-hand lightly across the strings then play with the pick-hand.

Natural harmonic

Play the note while the fret-hand lightly touches the string directly over the fret indicated.

Pinch harmonic

Fret the note normally and produce a harmonic by adding the edge of the thumb or the tip of the index finger of the pick hand to the normal pick attack.

Harp harmonic

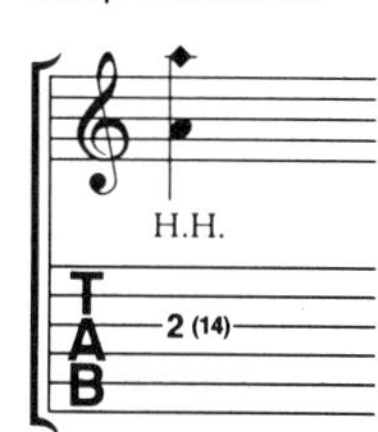

Fret the note normally and gently rest the pick-hand's index finger directly above the indicated fret while the pick-hand's thumb or pick assists by plucking the appropriate string.

Palm muting

Allow the pick-hand to rest lightly on the strings whilst playing.

Rake

Drag the pick across the strings shown with a single motion.

Tremolo picking

Repeatedly pick the note as rapidly as possible.

Arpeggiate

Play the notes of the chord by rolling them in the direction of the arrow.

Vibrato-bar dive and return

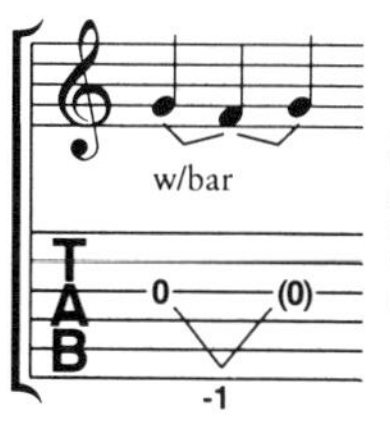

Drop the pitch of the note or chord a specific number of steps (in rhythm) then return to the original pitch.

Vibrato-bar dips

Play the first note then use the bar to drop a specific number of steps, then release back to the original pitch, in rhythm. Only the first note is picked.

Playing Guide

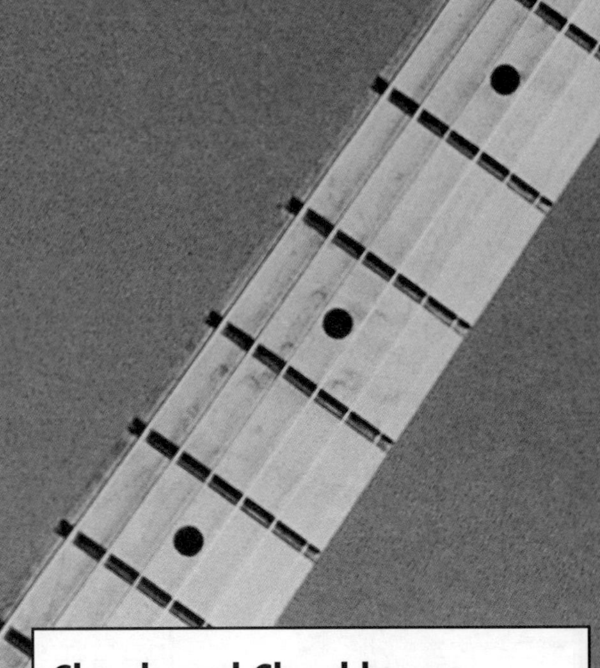

Tuning Your Guitar

To enjoy this book to the full, you have to ensure that your guitar is in tune.

There are many different methods of tuning your guitar. One of the most common is relative tuning. This is how it works.

Tune the low (thick) E-string to a comfortable pitch, fret the string at the 5th fret and then play it together with the A-string. Adjust the A-string until both strings have the same pitch. Repeat this procedure for the rest of the strings as follows:

5th fret A-string to open D-string
5th fret D-string to open G-string
4th fret G-string to open B-string
5th fret B-string to open E-string

After a little practise, you will be able to do this in a matter of minutes.

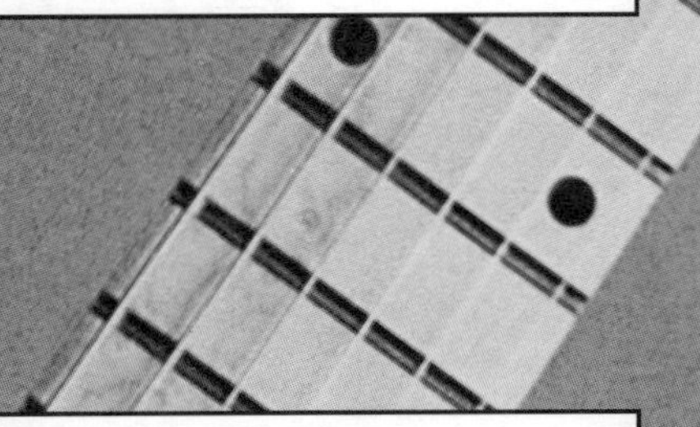

Chords and Chord boxes

Chords consist of several notes played together and are the basis for accompanying songs.

STRINGS
NUT
FRETS
E A D G B E

A chord box is simply a diagram showing a portion of the guitar neck. The horizontal lines illustrate the frets (the top line indicates the nut) and the vertical lines illustrate the strings, starting with the thickest string (low E) on the left. A fret number next to the chord box indicates that the chord should be played in that position, higher up on the neck.

The black dots indicate where to place your fingers on the fretboard. An 'O' instructs you to play the string open and an 'X' indicates that the string should not be played.

Basic Playing Techniques

Most guitarists use a pick to strum and pluck the strings. You could use your fingers, but they tend to wear out more quickly than a pick! There are no rules as to how to hold a pick - if it's comfortable, it's right for you.

You can use upstrokes, downstrokes or both. The most common is a combination of the two, alternating up and downstrokes. Ensure that you maintain an even, steady tempo when you strum your chords.

Most importantly... have fun!

Alright

Words and Music by
DANIEL GOFFEY, GARETH COOMBES AND MICHAEL QUINN

D Em7 F♯m F
A7 G Dm7 Em

♩ = 140

Intro
D
4/4 | / / / / | / / / / | / / / / | / / / / |

Verse 1
|D | | | |
We are young, we run green, keep our teeth nice and clean, see our

Em7 | |D | |
friends, see the sights, feel all right. We wake up,

| | | |
we go out, smoke a fag, put it out, see our

Em7 | |D | |
friends, see the sights, feel all right.

Chorus 1
F♯m | |F | |
Are we like you? I can't be sure of the scene

Em7 | |A7 | |
as she turns. We are strange in our world, but we are young,

Verse 2
|D | | | |
we get by, can't go mad, ain't got time, sleep a-

Em7 | |D | |
round if we like, but we're all right. Got some

| | | |
cash, bought some wheels, took it out 'cross the fields lost control,

Em⁷ | |D | |
hit a wall, but we're all right.

Chorus 2 F♯m | |F | |
Are we like you? I can't be sure of the scene

Em⁷ | |A⁷ | |
as she turns We are strange in our world, but we are young,

Interlude 1 D | | | |
we run green, keep our teeth nice and clean see our

Em⁷ | |D | |
friends, see the sights, feel all right.

Instrumental

G Dm⁷ G F
| / / / / | / / / / | / / / / | / / / / |

G Dm⁷ G F
| / / / / | / / / / | / / / / | / / / / |

Em A⁷
| / / / / | / / / / |

D
| / / / / | / / / / | / / / / | / / / / |

Em⁷ D *(two guitars)*
| / / / / | / / / / | / / / / | / / / / |

| / / / / | / / / / | / / / / | / / / / |

Em⁷ D
| / / / / | / / / / | / / / / | / / / / |

Chorus 3

F♯m | F | |
Are we like you? I can't be sure of the scene

Em7 | A7 | |
as she turns We are strange in our world, but we are young,

Interlude 2

D | | | |
we run green, keep our teeth nice and clean see our

Em7 | D | |
friends, see the sights, feel all right.

Coda

D
| / / / / | / / / / | / / / / | / / / / |

Em7 D
| / / / / | / / / / | / / / / | / / / / ||

Cheapskate

Words and Music by
DANIEL GOFFEY, GARETH COOMBES, MICHAEL QUINN AND ROBERT COOMBES

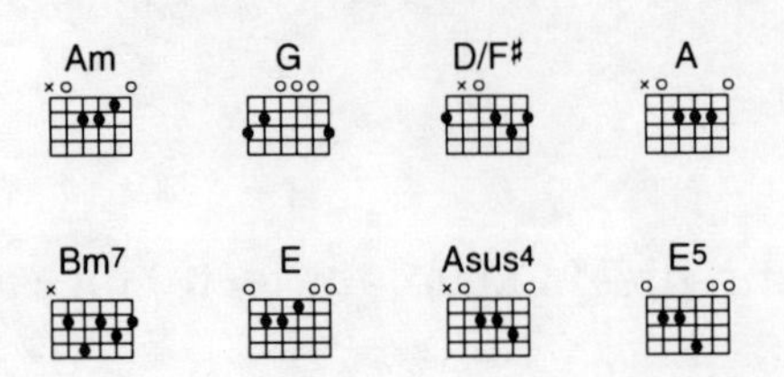

Intro ♩ = 132

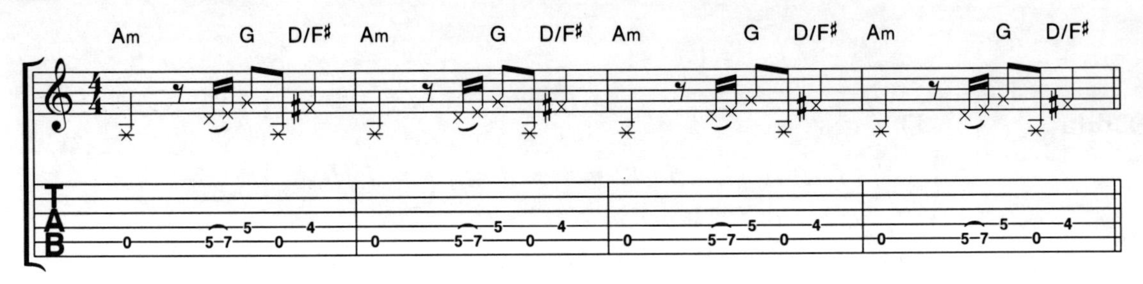

Verse 1

```
Am  G  D/F♯  |Am    G      D/F♯ |Am    G   D/F♯ |Am    G   D/F♯ |
Lift      me up and    move in closer.

Am  G  D/F♯   |Am G        D/F♯  |Am   G  D/F♯ |Am   G   D/F♯ |
Hold  -  ing on to     what I know.

Am  G  D/F♯    |Am    G      D/F♯      |
She's     the one who    plays with fire.

Am    G   D/F♯ |Am    G   D/F♯ |
                          I see

Am    G  D/F♯ |Am    G     D/F♯ |Am    G   D/F♯ |Am    G   D/F♯ |
          a side you'll never know.
```

Chorus 1

```
A             |              |Bm7       |
I need someone to be around 'cause I'm

E           Bm7  |A    Asus4  A |                |
breaking into    life,           somebody stop
```

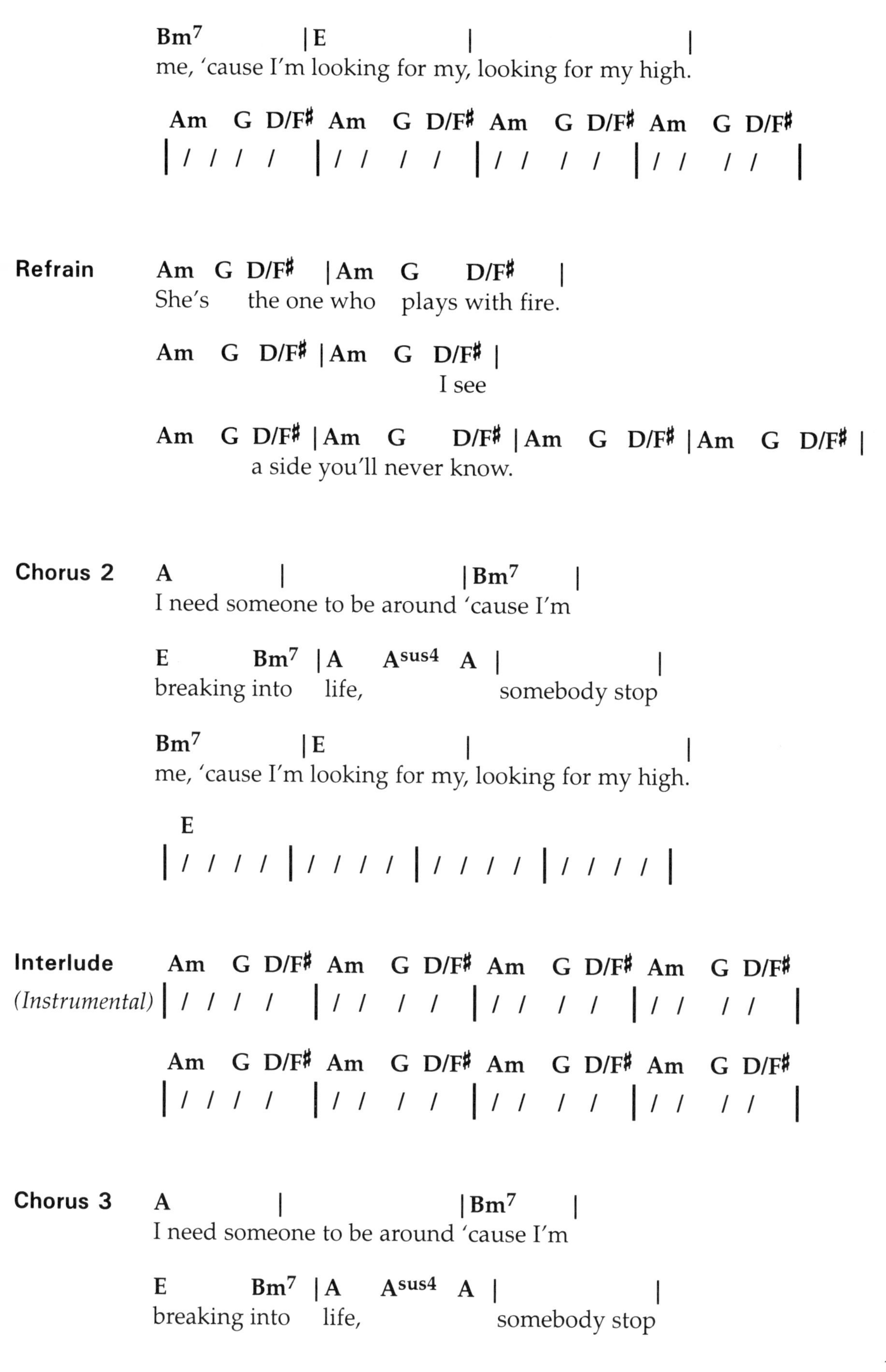
Bm7 | E | |
me, 'cause I'm looking for my, looking for my high.
Am G D/F# Am G D/F# Am G D/F# Am G D/F#
Refrain
Am G D/F# | Am G D/F# |
She's the one who plays with fire.
Am G D/F# | Am G D/F# |
I see
Am G D/F# | Am G D/F# | Am G D/F# | Am G D/F# |
a side you'll never know.
Chorus 2
A | | Bm7 |
I need someone to be around 'cause I'm
E Bm7 | A Asus4 A | |
breaking into life, somebody stop
Bm7 | E | |
me, 'cause I'm looking for my, looking for my high.
E
Interlude
(Instrumental)
Am G D/F# Am G D/F# Am G D/F# Am G D/F#
Am G D/F# Am G D/F# Am G D/F# Am G D/F#
Chorus 3
A | | Bm7 |
I need someone to be around 'cause I'm
E Bm7 | A Asus4 A | |
breaking into life, somebody stop

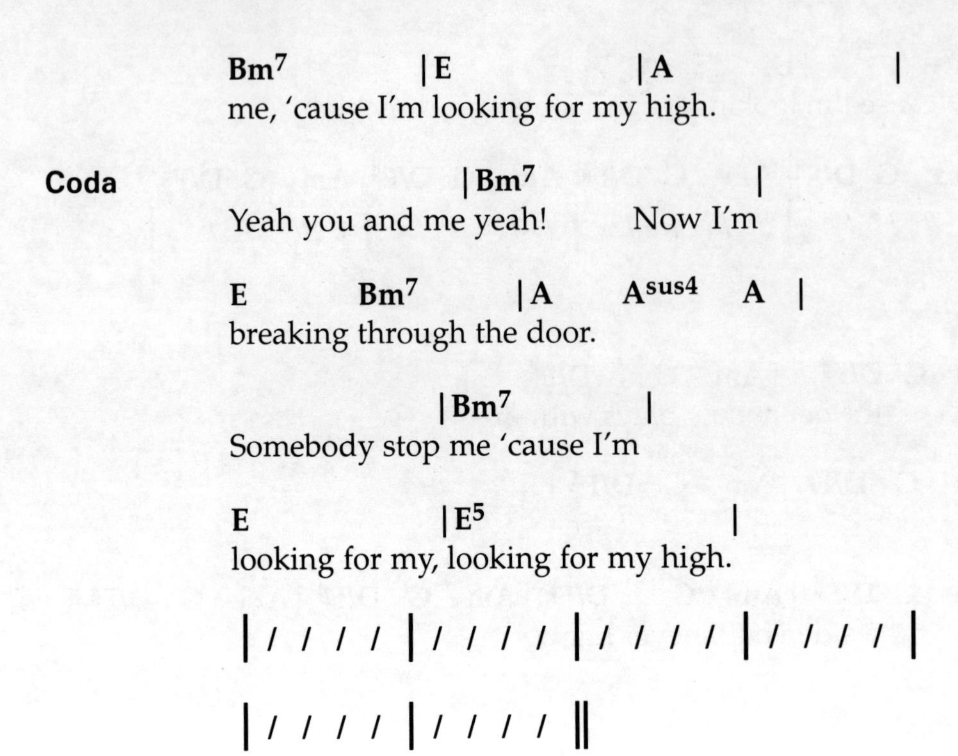
Bm7 |E |A |
me, 'cause I'm looking for my high.
Coda
|Bm7 |
Yeah you and me yeah! Now I'm
E Bm7 |A Asus4 A |
breaking through the door.
|Bm7 |
Somebody stop me 'cause I'm
E |E5 |
looking for my, looking for my high.
| / / / / | / / / / | / / / / | / / / / |
| / / / / | / / / / ||

G-Song

Words and Music by
DANIEL GOFFEY, GARETH COOMBES, MICHAEL QUINN AND ROBERT COOMBES

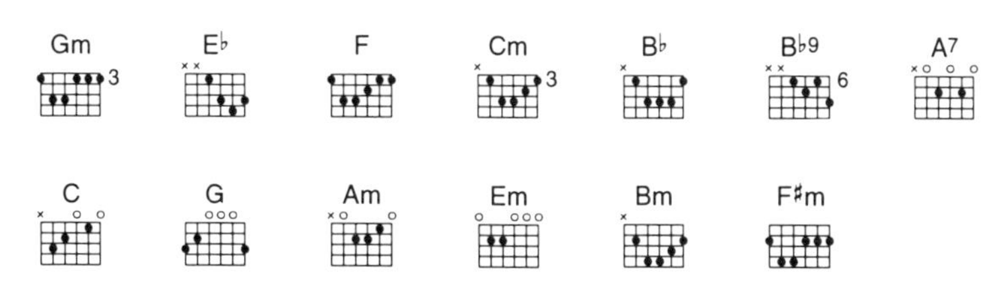

♩ = 84

Intro

```
     Gm   E♭     F    Cm  B♭
4/4 | / / / /  | / / /   / |

     Gm    E♭    | F    Cm    B♭     |
                              As I
```

Verse 1

```
Gm                    E♭   | F                        Cm   B♭          |
walk into the night I      don't feel that my feet have touched the

Gm       E♭    | F        Cm    B♭    |
ground,                         and I

Gm                   E♭   | F                  Cm      B♭          |
want to carry on, but I can't see anyone who'd take the

Gm       E♭    | F        Cm    B♭        |
time.                     There may be
```

Chorus 1

```
B♭9       A7                 | C        G              |
troubles in your mind,                  maybe tomor-

B♭9       A7                 | C        G              |
row       could be fine.                               I
```

Verse 2

```
Gm                      E♭   |F                     Cm   B♭    |
feel like going home, but I don't know if I'm up or     coming

Gm       E♭   |F        Cm   B♭   |
down,                        and I

Gm                              E♭   |F                        Cm B♭    |
feel there's something wrong, but I know it's just the time it    takes to

Gm       E♭   |F        Cm    B♭     |
climb.                  There may be
```

Chorus 2

```
B♭9      A7              |C       G             |
troubles in your mind,            maybe tomor-

B♭9      A7              |C       G             |
row you could be fine.
```

Interlude

```
 Am  Em     Am  Em     Am  Em     Am  Em
| / / / / | / / / / | / / / / | / / / / |

 Am  Em     Am  Em     Am  Em     Am  Em
| / / / / | / / / / | / / / / | / / / / |

 C
| / / / / | / / / / | / / / / | / / / / |

 Gm  E♭     F   Cm  B♭  Gm  E♭     F   Cm  B♭
| / / / / | / / /  / | / / / / | / / /  / |

Gm       E♭   |F       Cm   B♭   |Gm      E♭   |F        Cm    B♭    |
                                                         There may be
```

Chorus 3

```
B♭9      A7   |              | C        G          |
troubles      in your mind,         maybe tomor-

B♭9      A7   |                    | C        G          |
row           you could be fine.
```

```
Am Em    Am Em    Am Em    Am Em
| / / / / | / / / / | / / / / | / / / / |
```

Coda

```
Am Em    Am Em    Am Em    Am Em
| / / / / | / / / / | / / / / | / / / / |

Bm  F#m   Bm  F#m   Bm  F#m   Bm  F#m   (repeat and fade Coda)
| / / / / | / / / / | / / / / | / / / / |
```

I'd Like To Know

Words and Music by
DANIEL GOFFEY, GARETH COOMBES AND MICHAEL QUINN

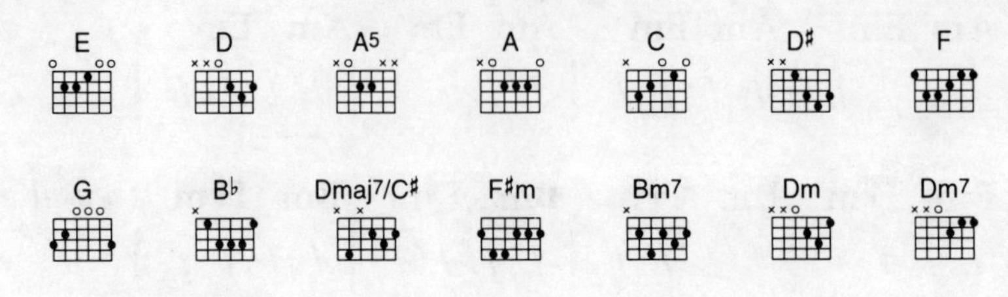

♩ = 160

Intro

```
    N.C.                           E    D      E    D
4/4 | / / / / | / / / / | / / / / | / / / / |

  E    D    E    D  A5 D
| / / / / | / / /   /  |
```

Verse 1

```
E        D              |E             D       |
I like to wake up on a Saturday, say hello you

E         D        |E        D       |
          la la la   la la la,

E          D       |E             D        |
A cup of coffee and smoke a cigarette or two

E          D       |E        D       |
           la la la  la la la,

A                  |C                    |
I've never had it so good, so long, so long

D                       |D#                |
But now I've got it, it could be like before

E          D       |E        D       |
Ooh

E          D       |E        D       |
           la la la  la la la,
```

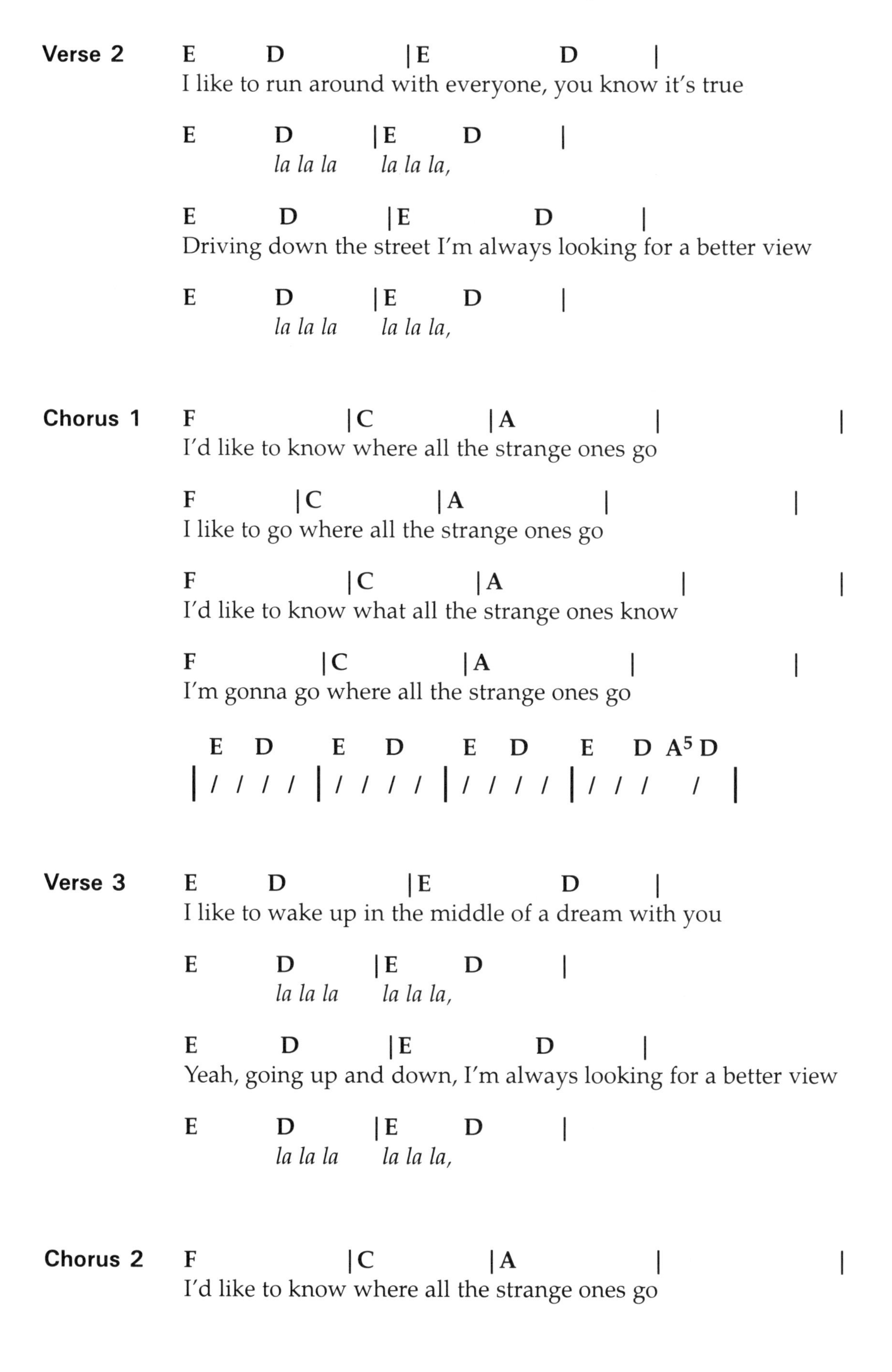
Verse 2
E D |E D |
I like to run around with everyone, you know it's true
E D |E D |
la la la la la la,
E D |E D |
Driving down the street I'm always looking for a better view
E D |E D |
la la la la la la,
Chorus 1
F |C |A | |
I'd like to know where all the strange ones go
F |C |A | |
I like to go where all the strange ones go
F |C |A | |
I'd like to know what all the strange ones know
F |C |A | |
I'm gonna go where all the strange ones go
E D E D E D E D A5 D
| / / / / | / / / / | / / / / | / / / / |
Verse 3
E D |E D |
I like to wake up in the middle of a dream with you
E D |E D |
la la la la la la,
E D |E D |
Yeah, going up and down, I'm always looking for a better view
E D |E D |
la la la la la la,
Chorus 2
F |C |A | |
I'd like to know where all the strange ones go

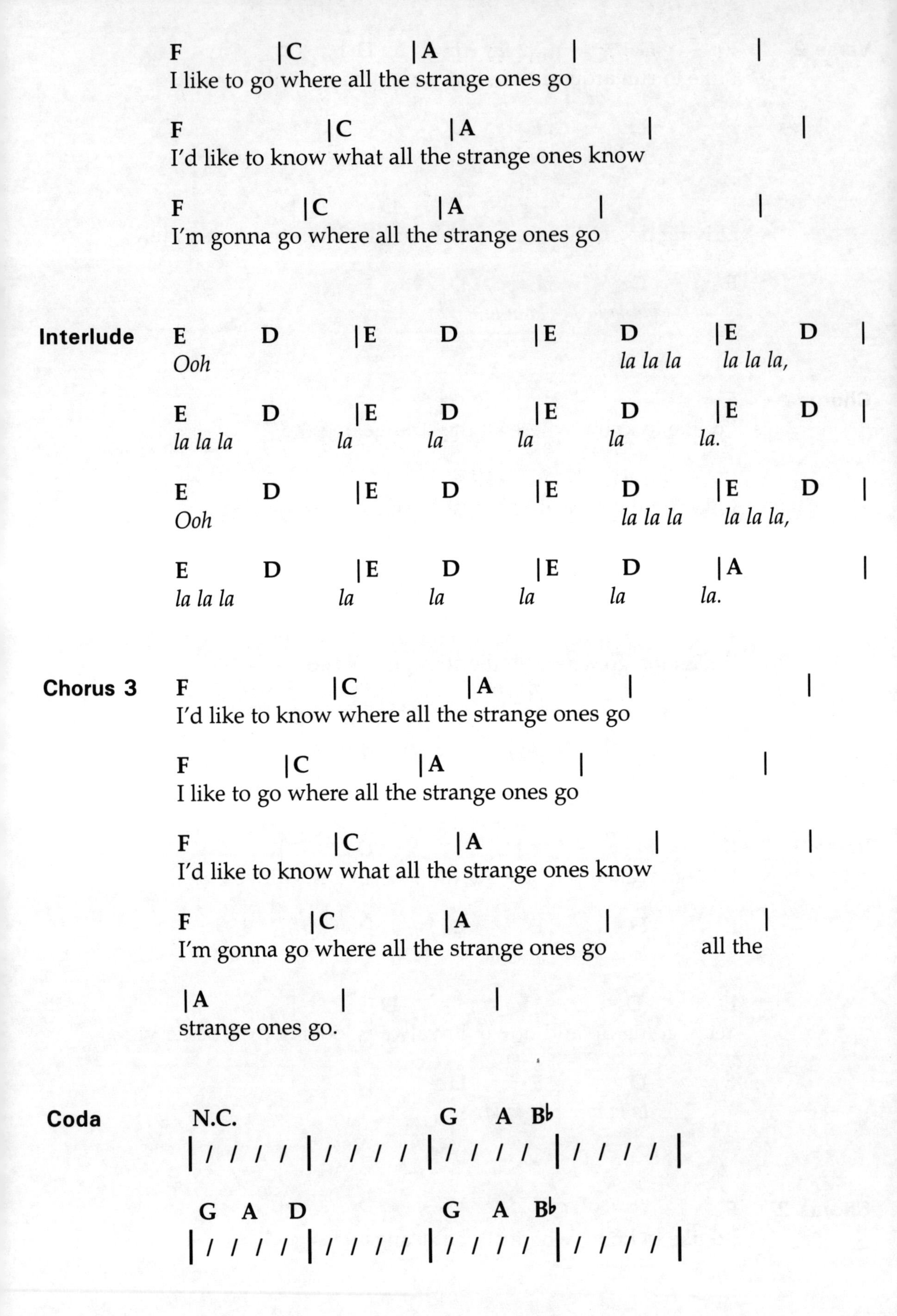

F |C |A | |
I like to go where all the strange ones go

F |C |A | |
I'd like to know what all the strange ones know

F |C |A | |
I'm gonna go where all the strange ones go

Interlude

E D |E D |E D |E D |
Ooh la la la la la la,

E D |E D |E D |E D |
la la la la la la la la.

E D |E D |E D |E D |
Ooh la la la la la la,

E D |E D |E D |A |
la la la la la la la la.

Chorus 3

F |C |A | |
I'd like to know where all the strange ones go

F |C |A | |
I like to go where all the strange ones go

F |C |A | |
I'd like to know what all the strange ones know

F |C |A | |
I'm gonna go where all the strange ones go all the

|A | |
strange ones go.

Coda

N.C. G A B♭
| / / / / | / / / / | / / / / | / / / / |

G A D G A B♭
| / / / / | / / / / | / / / / | / / / / |

D Dmaj7/C♯ Bm7 G F♯m A

| / / / / | / / / / | / / / / | / / / / |

D Dmaj7/C♯ Bm7 G A B♭

| / / / / | / / / / | / / / / | / / / / |

G A D G A B♭

| / / / / | / / / / | / / / / | / / / / |

D Dmaj7/C♯ Bm7 G F♯m A

| / / / / | / / / / | / / / / | / / / / |

D Dmaj7/C♯ Bm7 G A B♭ G

| / / / / | / / / / | / / / / | / / / / |

A D G A B♭

| / / / / | / / / / | / / / / | / / / / |

| / / / / | / / / / | / / / / | / / / / |

Dm Dm7

| / / / / | / / / / | / / / / | / / / / |

B♭ C A

| / / / / | / / / / | / / / / | / / / / |

G A B♭

| / / / / | / / / / | / / / / | / / / / |

C D

| / / / / | / / / / | / / / / ||

It's Not Me

Words and Music by
DANIEL GOFFEY, GARETH COOMBES, MICHAEL QUINN AND ROBERT COOMBES

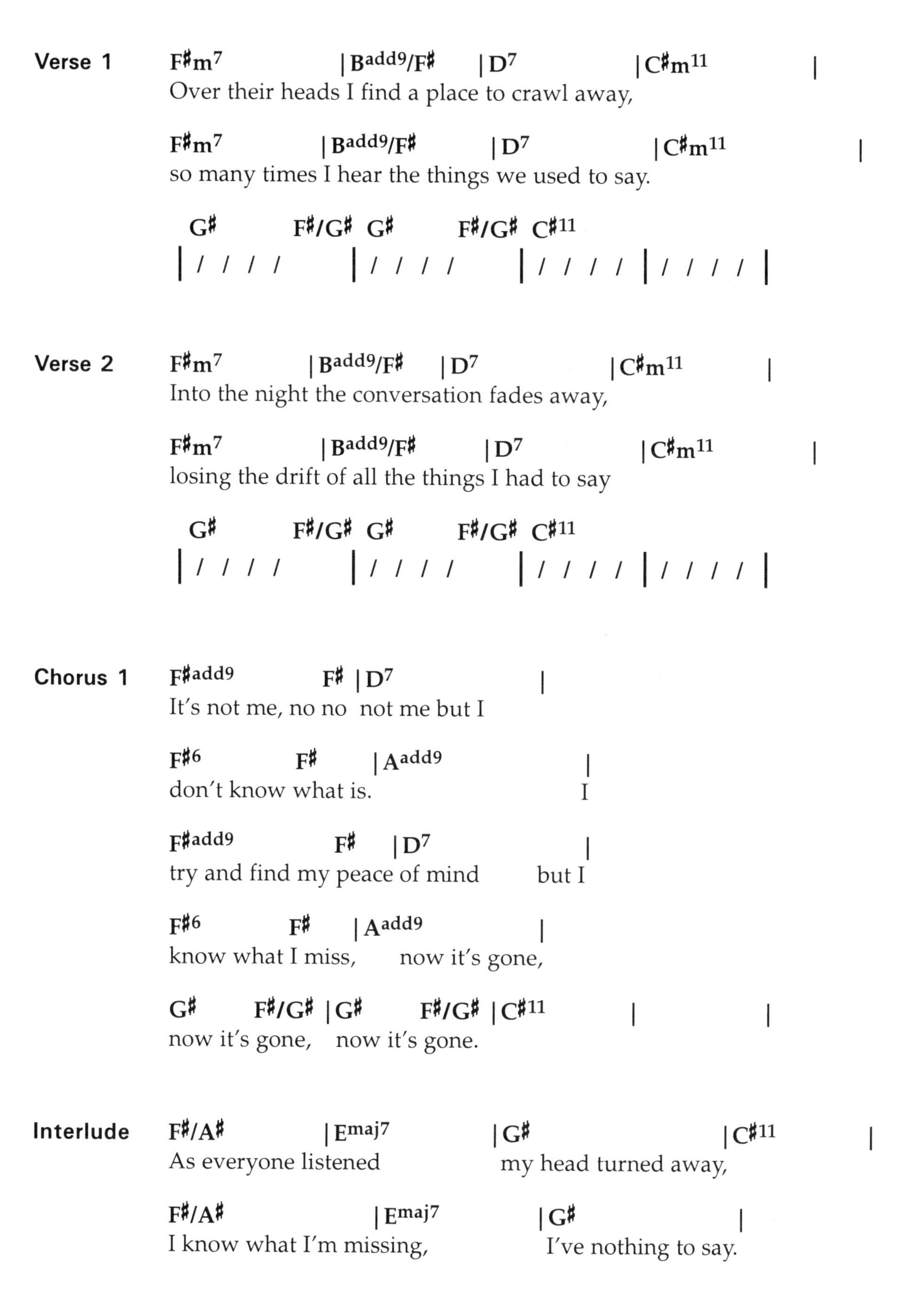
Verse 1
F#m7 | Badd9/F# | D7 | C#m11 |
Over their heads I find a place to crawl away,
F#m7 | Badd9/F# | D7 | C#m11 |
so many times I hear the things we used to say.
G# F#/G# G# F#/G# C#11
| / / / / | / / / / | / / / / | / / / / |
Verse 2
F#m7 | Badd9/F# | D7 | C#m11 |
Into the night the conversation fades away,
F#m7 | Badd9/F# | D7 | C#m11 |
losing the drift of all the things I had to say
G# F#/G# G# F#/G# C#11
| / / / / | / / / / | / / / / | / / / / |
Chorus 1
F#add9 F# | D7 |
It's not me, no no not me but I
F#6 F# | Aadd9 |
don't know what is. I
F#add9 F# | D7 |
try and find my peace of mind but I
F#6 F# | Aadd9 |
know what I miss, now it's gone,
G# F#/G# | G# F#/G# | C#11 | |
now it's gone, now it's gone.
Interlude
F#/A# | Emaj7 | G# | C#11 |
As everyone listened my head turned away,
F#/A# | Emaj7 | G# |
I know what I'm missing, I've nothing to say.

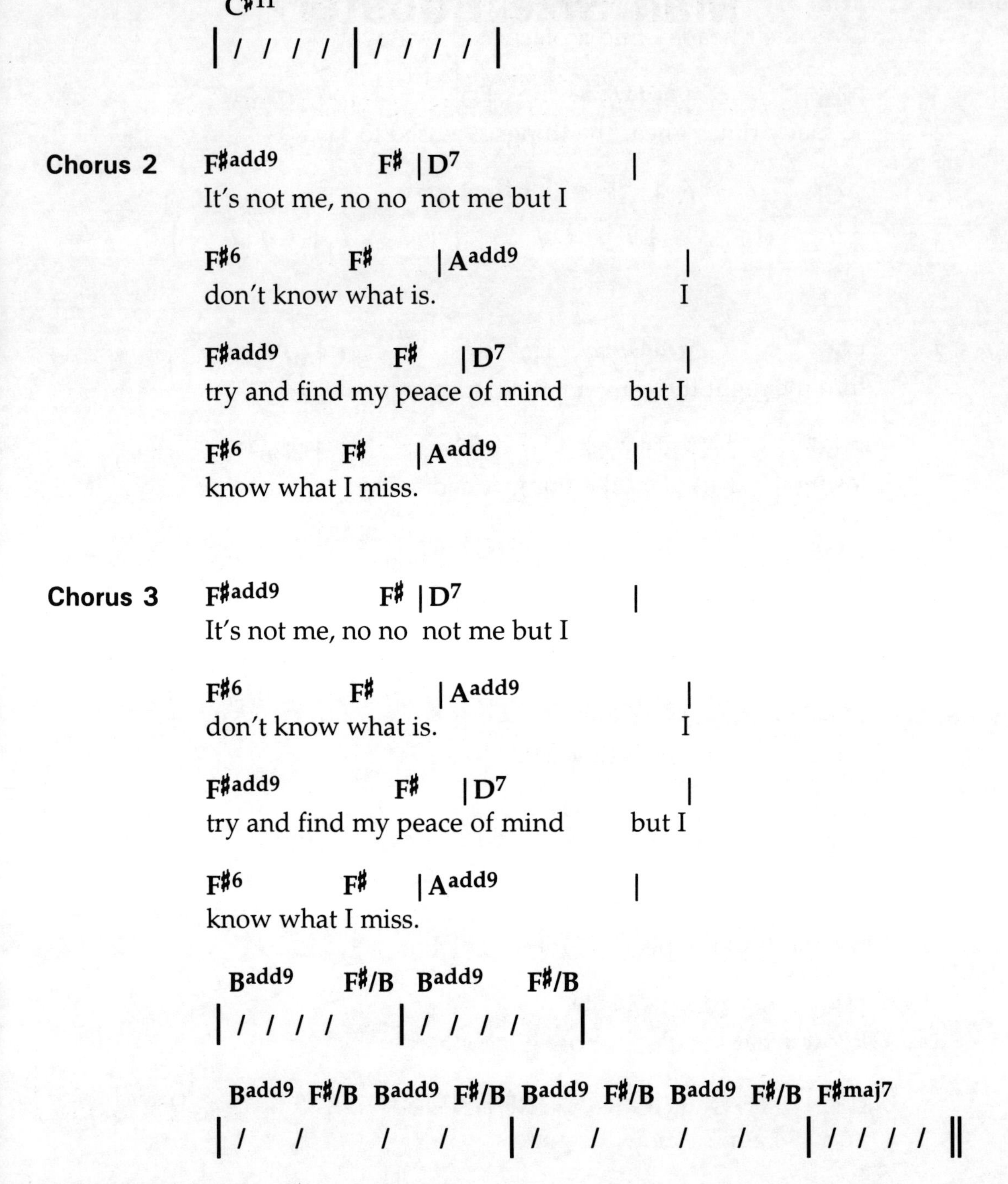
C♯11
| / / / / | / / / / |
Chorus 2
F♯add9 F♯ | D7 |
It's not me, no no not me but I
F♯6 F♯ | Aadd9 |
don't know what is. I
F♯add9 F♯ | D7 |
try and find my peace of mind but I
F♯6 F♯ | Aadd9 |
know what I miss.
Chorus 3
F♯add9 F♯ | D7 |
It's not me, no no not me but I
F♯6 F♯ | Aadd9 |
don't know what is. I
F♯add9 F♯ | D7 |
try and find my peace of mind but I
F♯6 F♯ | Aadd9 |
know what I miss.
Badd9 F♯/B Badd9 F♯/B
| / / / / | / / / / |
Badd9 F♯/B Badd9 F♯/B Badd9 F♯/B Badd9 F♯/B F♯maj7
| / / / / | / / / / | / / / / ||

Man Size Rooster

Words and Music by
DANIEL GOFFEY, GARETH COOMBES AND MICHAEL QUINN

G B+ Em C Cm

D7 G Em7 E♭ D6

♩ = 168

Intro

```
     G    B+    Em   B+    G    B+    Em   B+
4/4 | / / / / | / / / / | / / / / | / / / / |
```

Verse 1

```
G      B+                |Em          B+    |
Wait a minute now, you can't just run away,

G              B+                |Em          B+      |
You've got no money, and you've got no place to stay.

G           B+           |Em          B+      |
Things are bad, but there's always another way.

G                                   |              |
How would you know if you never ever saw me?
```

Chorus 1

```
C              |          |Cm            |           |
Oh no, when I look at you I see.

D7                    |         |                  |                  |
Why you lookin' so crazy?        Why you lookin' so lonely for love?

G                |                    |Em7            |            |
                 What do you wanna be now?

D7                    |         |                  |                  |
Why you lookin' so crazy?        Why you lookin' so lonely for love?
```

G | |Em7 | |
What do you wanna see now?

D7 | | | |
Wait a minute, it's all wrong. Wait a minute, it's all gone

G B+ |Em B+ |G B+ |Em B+ |
wrong. *A rooster.*

Verse 2

G B+ |Em B+ |
Wait a minute now, you can't just hide away,

G B+ |Em B+ |
you've got no money, and you've got no face to save.

G B+ |Em B+ |
You think it's bad, but there's always another way.

G | |
How would you know if you never ever saw me?

Chorus 2

C | |Cm | |
Oh no, when I look at you I see.

D7 | | | |
Why you lookin' so crazy? Why you lookin' so lonely for love?

G | |Em7 | |
What do you wanna be now?

D7 | | | |
Why you lookin' so crazy? Why you lookin' so lonely for love?

G | |Em7 |E♭ |
What do you wanna be now? *Oh*

G | |Em7 |E♭ |
yeah. What do you wanna see? *Oh*

G | |Em7 |E♭ |
yeah. What do you wanna be? *Oh*

G | |Em7 |
yeah. What do you wanna feel?

Coda $\frac{9}{8}$ D6 G D6 G D6 G |
Oh

$\frac{4}{4}$ G | | Em7 | $\frac{9}{8}$ D6 G D6 G D6 G |
yeah.

(Repeat last 4 bars ad lib to fade)

Lenny

Words and Music by
DANIEL GOFFEY, GARETH COOMBES AND MICHAEL QUINN

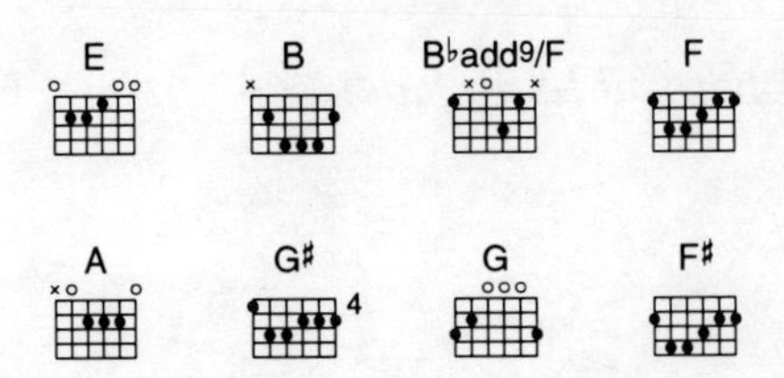

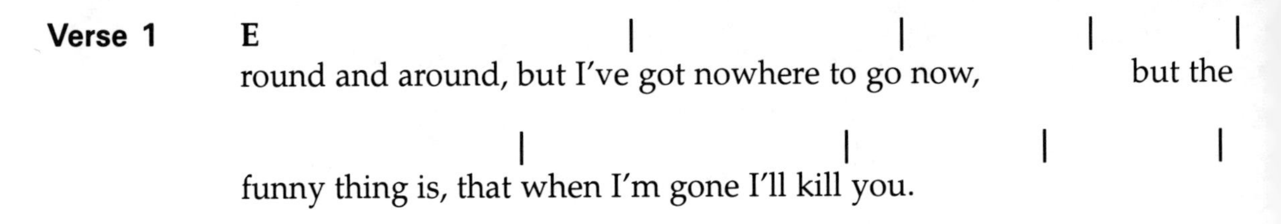

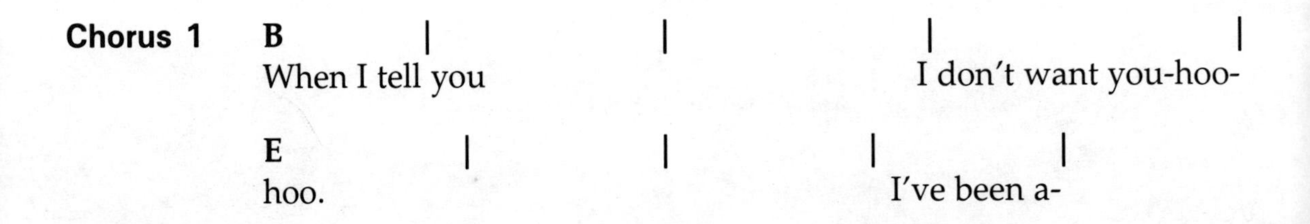

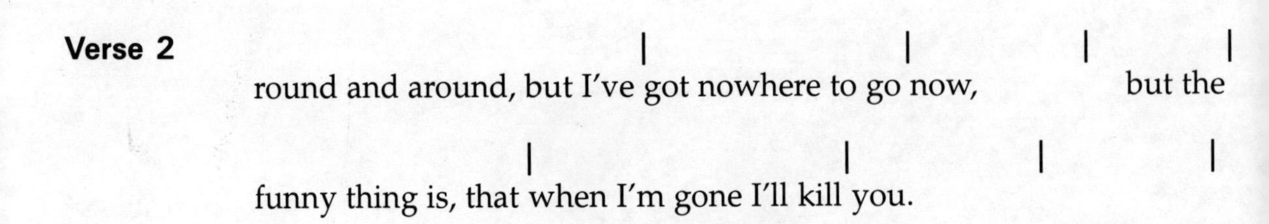

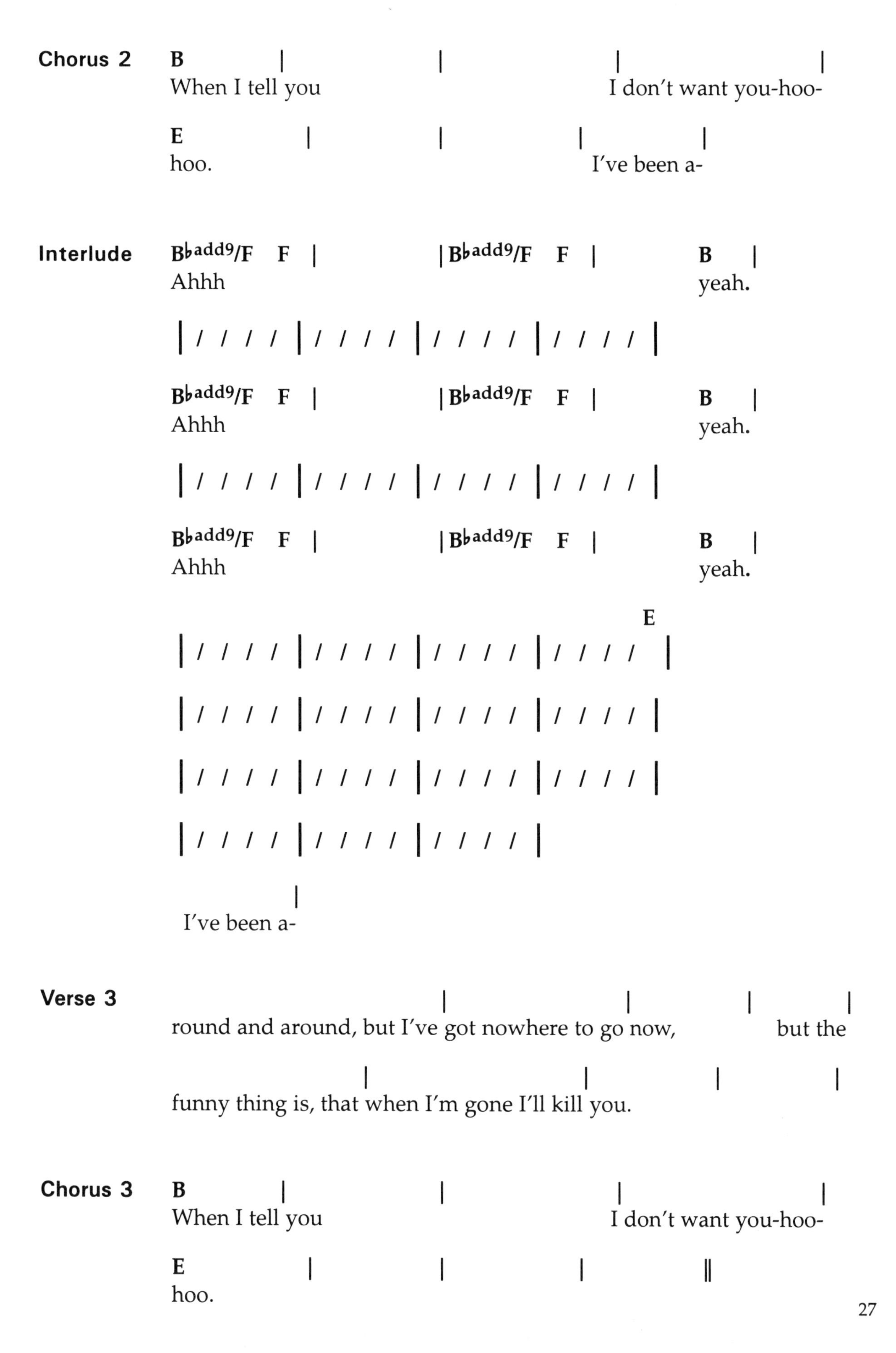
Chorus 2
B
When I tell you
I don't want you-hoo-
E
hoo.
I've been a-
Interlude
B♭add9/F F
B♭add9/F F
B
Ahhh
yeah.
B♭add9/F F
B♭add9/F F
B
Ahhh
yeah.
B♭add9/F F
B♭add9/F F
B
Ahhh
yeah.
E
I've been a-
Verse 3
round and around, but I've got nowhere to go now,
but the
funny thing is, that when I'm gone I'll kill you.
Chorus 3
B
When I tell you
I don't want you-hoo-
E
hoo.

Pumping On Your Stereo

Words and Music by
DANIEL GOFFEY, GARETH COOMBES, MICHAEL QUINN AND ROBERT COOMBES

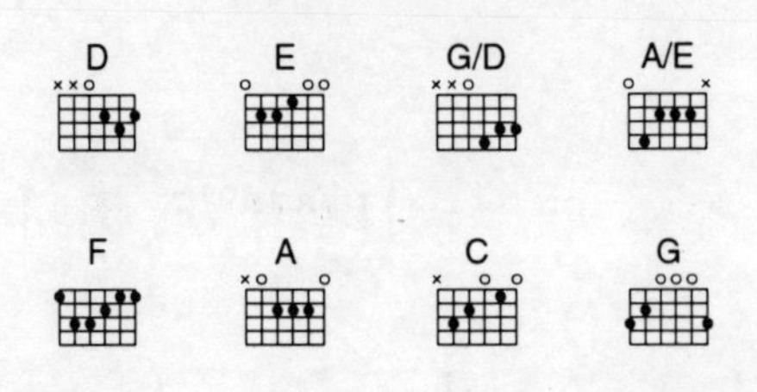

♩ = 130

Intro 4/4
D | **E** |
Can you hear us pumping on your stereo?

D | **E** |
Can you hear us pumping on your stereo?

D | **E** |
Can you hear us pumping on your stereo?

D | **E** |
Can you hear us pumping on your stereo?

Chorus 1
D G/D D G/D E | **A/E** |
Can you hear us pumping on your stereo?

D G/D D G/D E | **A/E** |
Can you hear us pumping on your stereo?

D G/D D G/D E | **A/E** |
Can you hear us pumping on your stereo?

D G/D D G/D E | **A/E** |
Can you hear us pumping on your stereo?

Verse 1
D G/D D G/D E | **A/E E A/E** |
Life is a ci-garette,

D G/D D G/D E | **A/E E A/E** |
you smoke till the end.

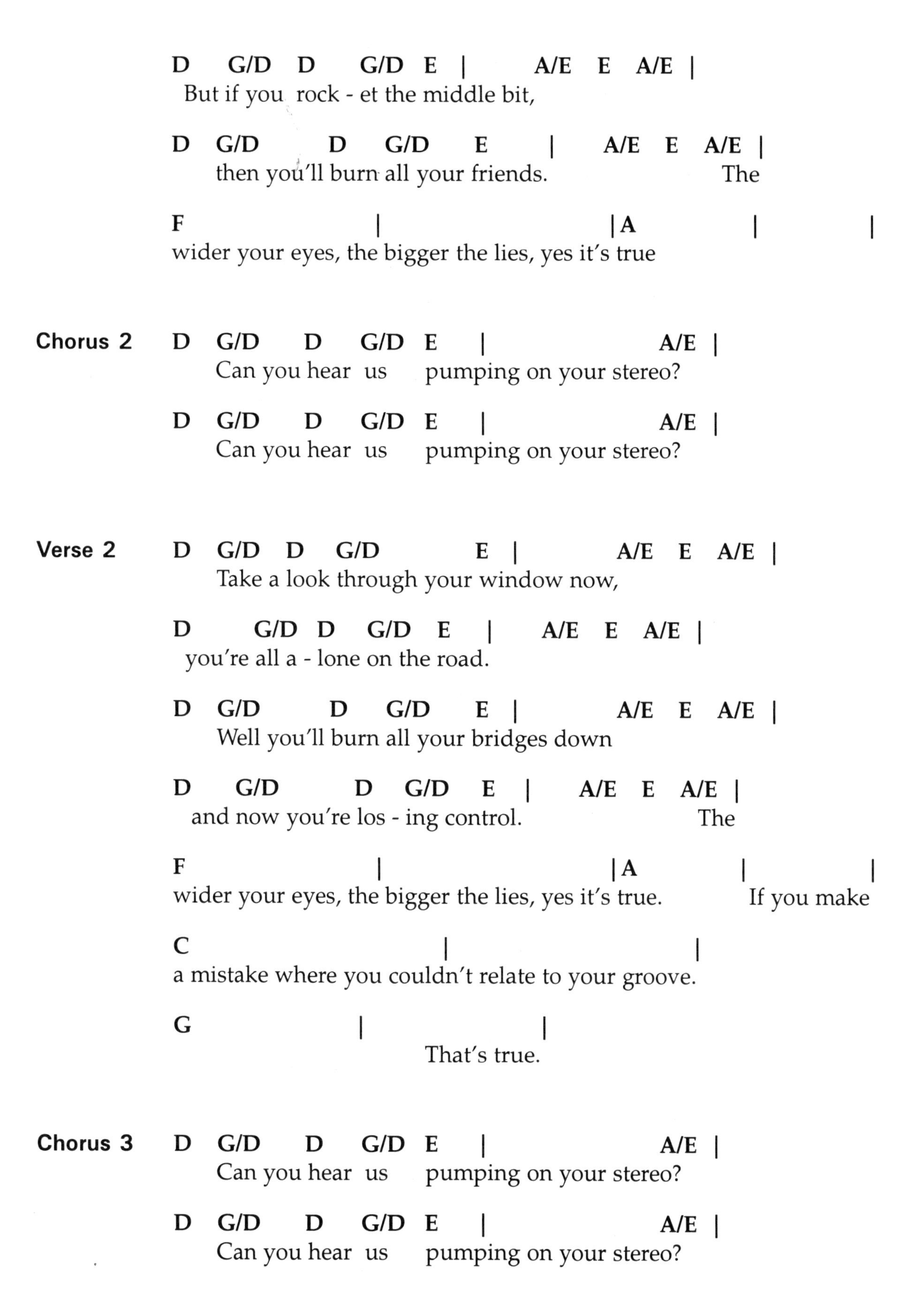
D G/D D G/D E | A/E E A/E |
But if you rock - et the middle bit,
D G/D D G/D E | A/E E A/E |
then you'll burn all your friends. The
F | |A | |
wider your eyes, the bigger the lies, yes it's true
Chorus 2
D G/D D G/D E | A/E |
Can you hear us pumping on your stereo?
D G/D D G/D E | A/E |
Can you hear us pumping on your stereo?
Verse 2
D G/D D G/D E | A/E E A/E |
Take a look through your window now,
D G/D D G/D E | A/E E A/E |
you're all a - lone on the road.
D G/D D G/D E | A/E E A/E |
Well you'll burn all your bridges down
D G/D D G/D E | A/E E A/E |
and now you're los - ing control. The
F | |A | |
wider your eyes, the bigger the lies, yes it's true. If you make
C | |
a mistake where you couldn't relate to your groove.
G | |
That's true.
Chorus 3
D G/D D G/D E | A/E |
Can you hear us pumping on your stereo?
D G/D D G/D E | A/E |
Can you hear us pumping on your stereo?

D G/D D G/D E | A/E |
Can you hear us pumping on your stereo?

D G/D D G/D E | A/E |
Can you hear us pumping on your stereo?

Verse 3

D G/D D G/D E | A/E E A/E |
Well now that I've met you,

D G/D D G/D E | A/E E A/E |
and I love you as a friend.

D G/D D G/D E | A/E E A/E |
Yeah but your love is mogadon.

D G/D D G/D E | A/E E A/E |
love is the end. Well, the

F | |A | |
wider your eyes, the bigger the lies, yes it's true. If you

C | |
make a mistake where you couldn't relate to your groove.

G | |
That's true.

Chorus 4

D G/D D G/D E | A/E |
Can you hear us pumping on your stereo?

D G/D D G/D E | A/E |
Can you hear us pumping on your stereo?

D G/D D G/D E | A/E |
Can you hear us pumping on your stereo?

D G/D D G/D E | A/E |
Can you hear us pumping on your stereo?

Coda

D G/D D G/D E | A/E |
Can you hear us pumping on your stereo?

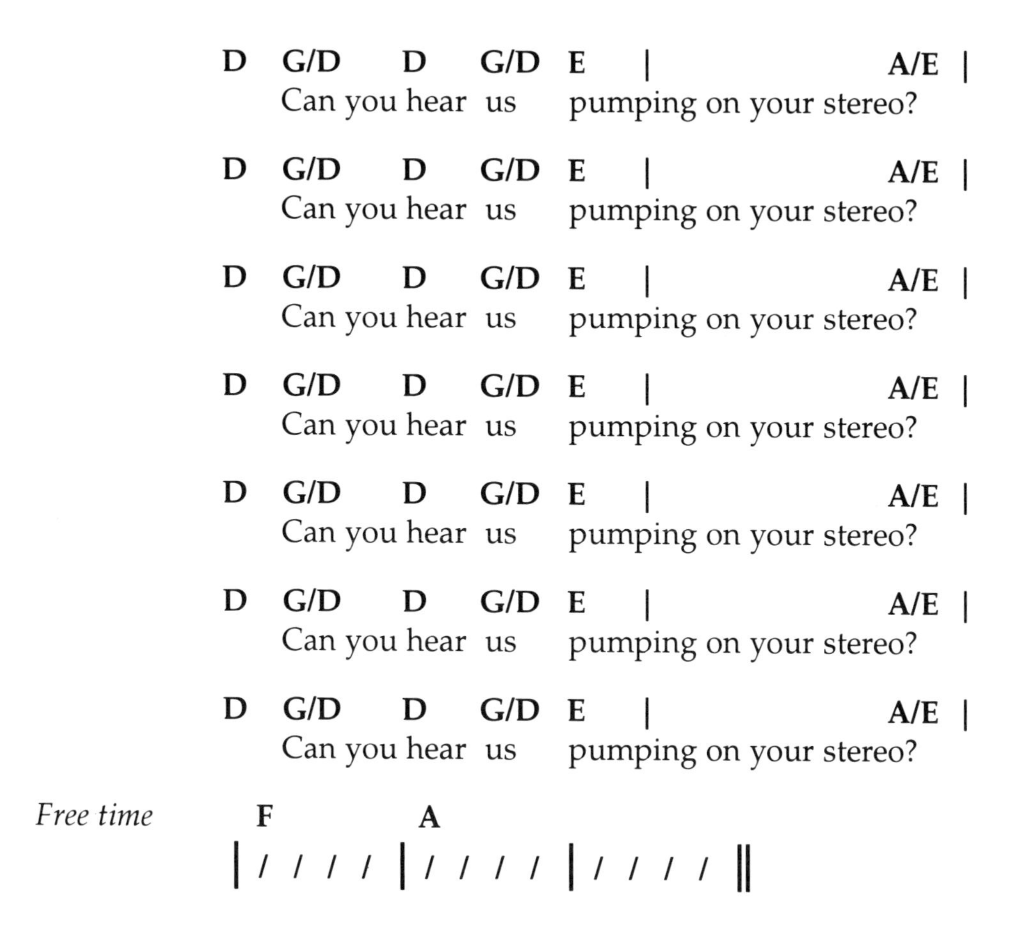
D G/D D G/D E | A/E |
Can you hear us pumping on your stereo?
D G/D D G/D E | A/E |
Can you hear us pumping on your stereo?
D G/D D G/D E | A/E |
Can you hear us pumping on your stereo?
D G/D D G/D E | A/E |
Can you hear us pumping on your stereo?
D G/D D G/D E | A/E |
Can you hear us pumping on your stereo?
D G/D D G/D E | A/E |
Can you hear us pumping on your stereo?
D G/D D G/D E | A/E |
Can you hear us pumping on your stereo?
Free time
F A
| / / / / | / / / / | / / / / ||

Richard III

Words and Music by
DANIEL GOFFEY, GARETH COOMBES, MICHAEL QUINN AND ROBERT COOMBES

A5 E♭ E♭/A E♭sus2 C G

G6 Fmaj7 A♭ Cm7 Cm7/B♭

♩ = 152

Intro

A5 E♭ A5 E♭/A
4/4 | / / / / | / / / / | / / / / | / / / / |

A5 E♭/A C
| / / / / | / / / / | / / / / | / / / / |

A5 E♭sus2 A5 E♭sus2
| / / / / | / / / / | / / / / | / / / / |

A5 E♭sus2 A5
| / / / / | / / / / | / / / / |

E♭sus2 |
Got up today,

Verse 1

A5 | E♭sus2 | A5 | E♭sus2 |
what a day, thanks a million, I spend too much time

A5 | E♭sus2 | A5 | E♭sus2 |
wondering why I've got an opinion, yeah.

Chorus 1

C | | A♭ | |
I know you want to try and get away, but it's the

G | | C | |
hardest thing you'll ever know,

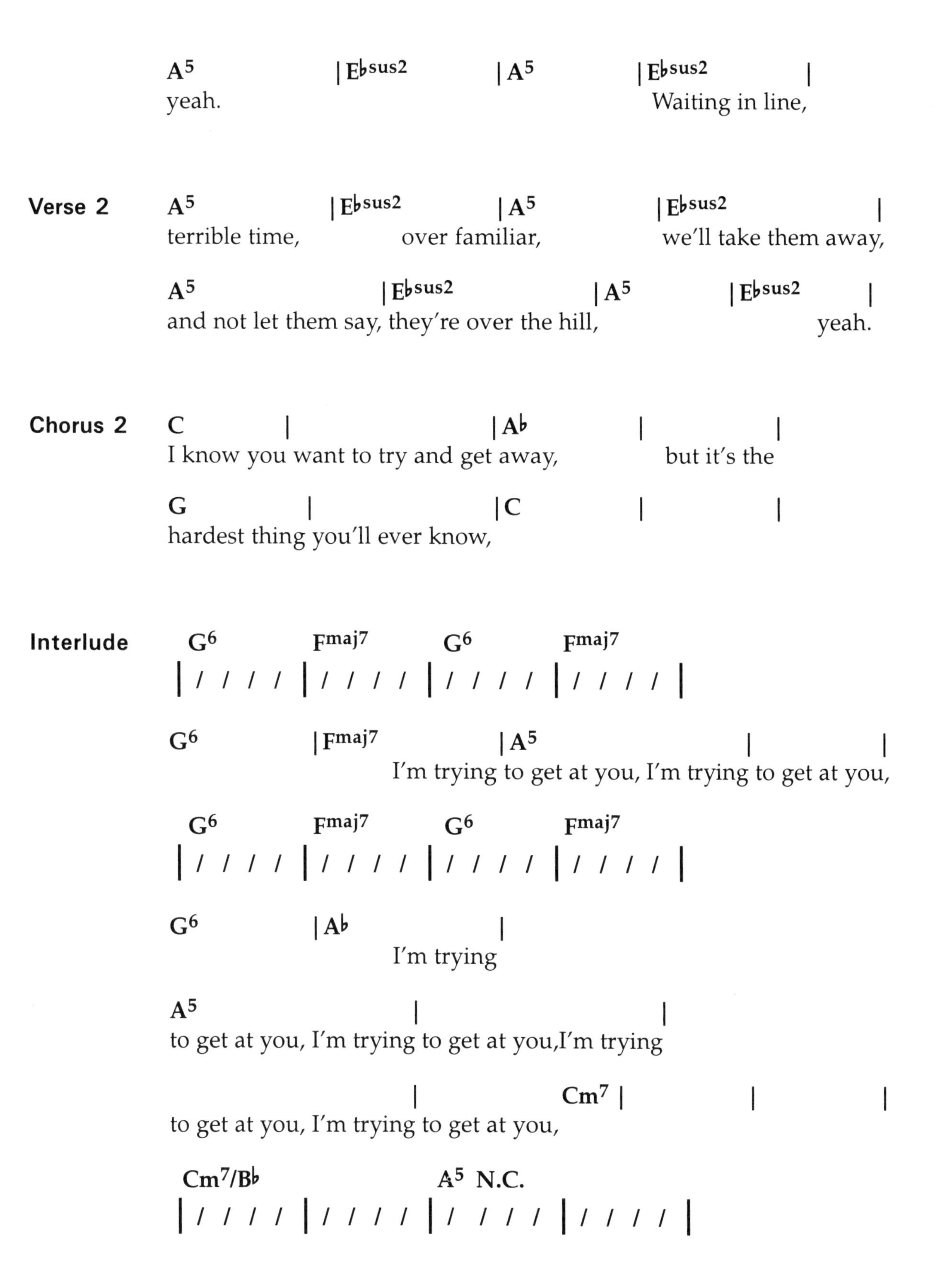
A5 | E♭sus2 | A5 | E♭sus2 |
yeah. Waiting in line,
Verse 2
A5 | E♭sus2 | A5 | E♭sus2 |
terrible time, over familiar, we'll take them away,
A5 | E♭sus2 | A5 | E♭sus2 |
and not let them say, they're over the hill, yeah.
Chorus 2
C | | A♭ | |
I know you want to try and get away, but it's the
G | | C | |
hardest thing you'll ever know,
Interlude
G6 Fmaj7 G6 Fmaj7
G6 | Fmaj7 | A5 | |
I'm trying to get at you, I'm trying to get at you,
G6 Fmaj7 G6 Fmaj7
G6 | A♭ |
I'm trying
A5 | |
to get at you, I'm trying to get at you,I'm trying
| Cm7 | | |
to get at you, I'm trying to get at you,
Cm7/B♭ A5 N.C.

Verse 3 *(Instrumental)*

```
A5         E♭sus2     A5         E♭sus2
| / / / /  | / / / /  | / / / /  | / / / /  |

A5         E♭sus2     A5         E♭sus2
| / / / /  | / / / /  | / / / /  | / / / /  |
```

Chorus 3

```
C                 |                   |A♭           |           |
I know you want to try and get away,                but it's the

G                 |                   |C            |           |
hardest thing you'll ever know.
```

Chorus 4

```
C                 |                   |A♭      A♭sus4 |A♭       A♭sus4 |
I know you want to try and get away,                but it's the

G                 |                   |C            |           |
hardest thing you'll ever know.

| / / / /  | / / / /  | / / / /  |
```

Coda

```
Cm7                   Cm7/B♭        (repeat Coda to fade)
| / / / /  | / / / /  | / / / /  | / / / /  |
```

Sitting Up Straight

Words and Music by
DANIEL GOFFEY, GARETH COOMBES AND MICHAEL QUINN

G G/F Em E♭ Em7 Am F/C D

F♯7 Bm A7sus4 A7 C B♭ G7 A

♩ = 156

Intro
G G/F G G/F G G/F G G/F
| / / / / | / / / / | / / / / | / / / / |

Chorus 1

G Sitting up straight on the **G/F** back of the bus, |
G mimicking time as the **G/F** evening turns to |
Em dusk, **E♭** | | well
G look at the boy with his **Em7** face to the floor. |
G Have a little smoke just to **Em7** pass the time of day, |
Am oh **F/C** yeah, | oh yeah. |**G** | |

Verse 1

D He's **F♯7** like **Bm** me, |**D** he'd do |**G** anything to |**A7sus4** get away, I **A7** know. |
D **F♯7** Can **Bm** you |**D** be there |**G** every day? |**A7sus4** I know I can **A7** believe |

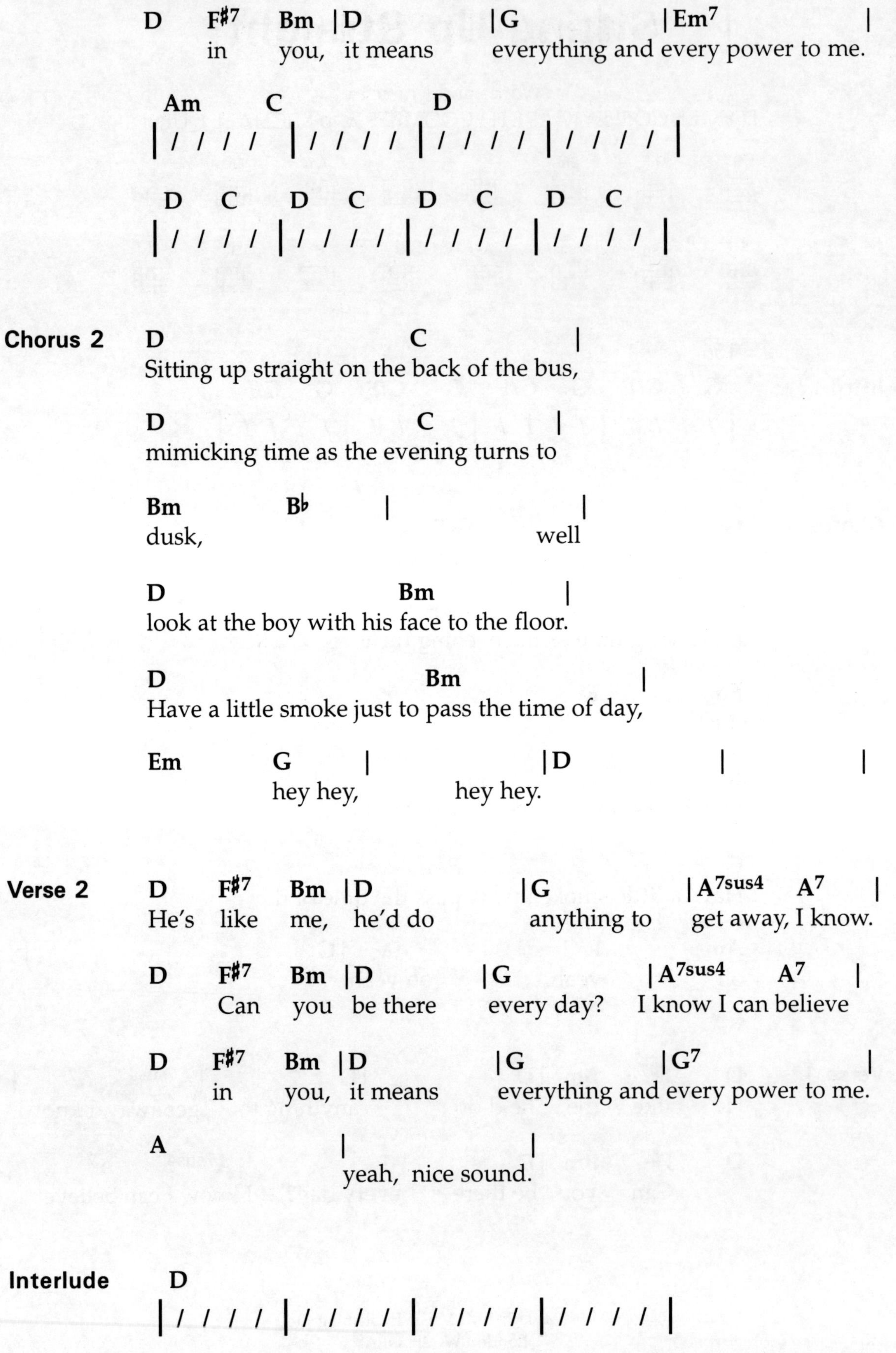
D F#7 Bm |D |G |Em7 |
in you, it means everything and every power to me.
Am C D
|/ / / / |/ / / / |/ / / / |/ / / / |
D C D C D C D C
|/ / / / |/ / / / |/ / / / |/ / / / |
Chorus 2
D C |
Sitting up straight on the back of the bus,
D C |
mimicking time as the evening turns to
Bm B♭ | |
dusk, well
D Bm |
look at the boy with his face to the floor.
D Bm |
Have a little smoke just to pass the time of day,
Em G | |D | |
hey hey, hey hey.
Verse 2
D F#7 Bm |D |G |A7sus4 A7 |
He's like me, he'd do anything to get away, I know.
D F#7 Bm |D |G |A7sus4 A7 |
Can you be there every day? I know I can believe
D F#7 Bm |D |G |G7 |
in you, it means everything and every power to me.
A | |
yeah, nice sound.
Interlude
D
|/ / / / |/ / / / |/ / / / |/ / / / |

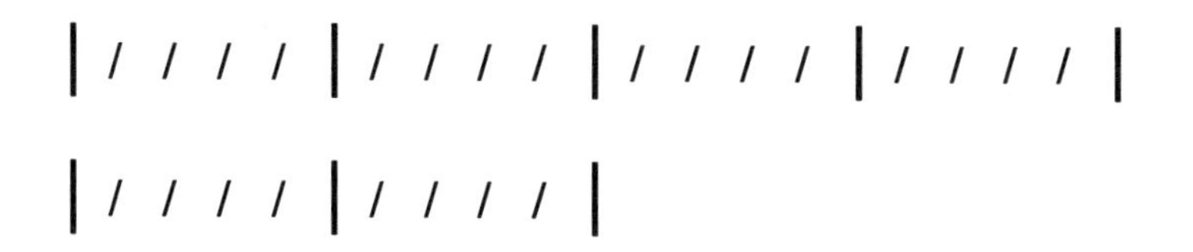

Coda

| | |D C |
Sitting up straight, sitting up straight, sitting up

D C |D C |D C |
straight, sitting up straight, sitting up straight on the back of a bus

D C |D C |
on the back of a bus, on the back of a bus

D C |D C |
on the back of a bus, on the back of a bus.

D
| / / / / ||

Sometimes I Make You Sad

Words and Music by
DANIEL GOFFEY, GARETH COOMBES, MICHAEL QUINN AND ROBERT COOMBES

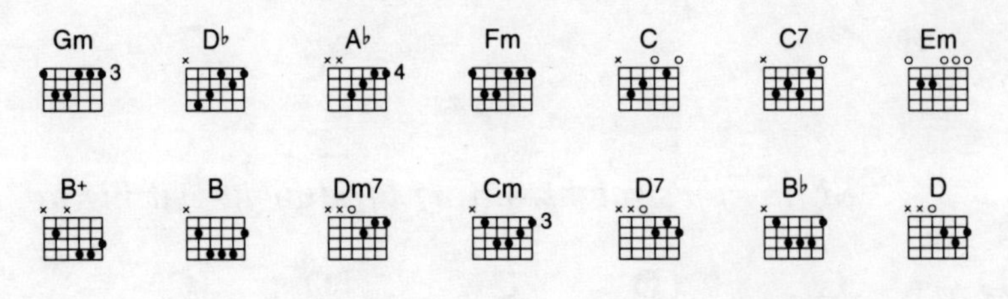

♩ = 100

Intro

Gm | **D♭** **A♭** | **Fm** | **C**
4/4 | / / / / | / / / / | / / / / | / / / / |

Gm | **D♭** **A♭** | **Fm** | **C** | **C7**
| / / / / | / / / / | / / / / | / / / / | / / / / |

Verse 1

Em |**B+** **B** |
Shut out the world, you can do it, then let me climb inside,

Dm7

Em |**B+** **B** |
there's only one way you can do it, just let your mind unwind,

Dm7

D♭ |**Cm** |
so to the world I say hello, but the people don't

Fm |**D7** | |
care there's nothing out there.

Chorus 1

Gm |**D♭** **A♭** |
Once there was a boy, spent days all a-lone in

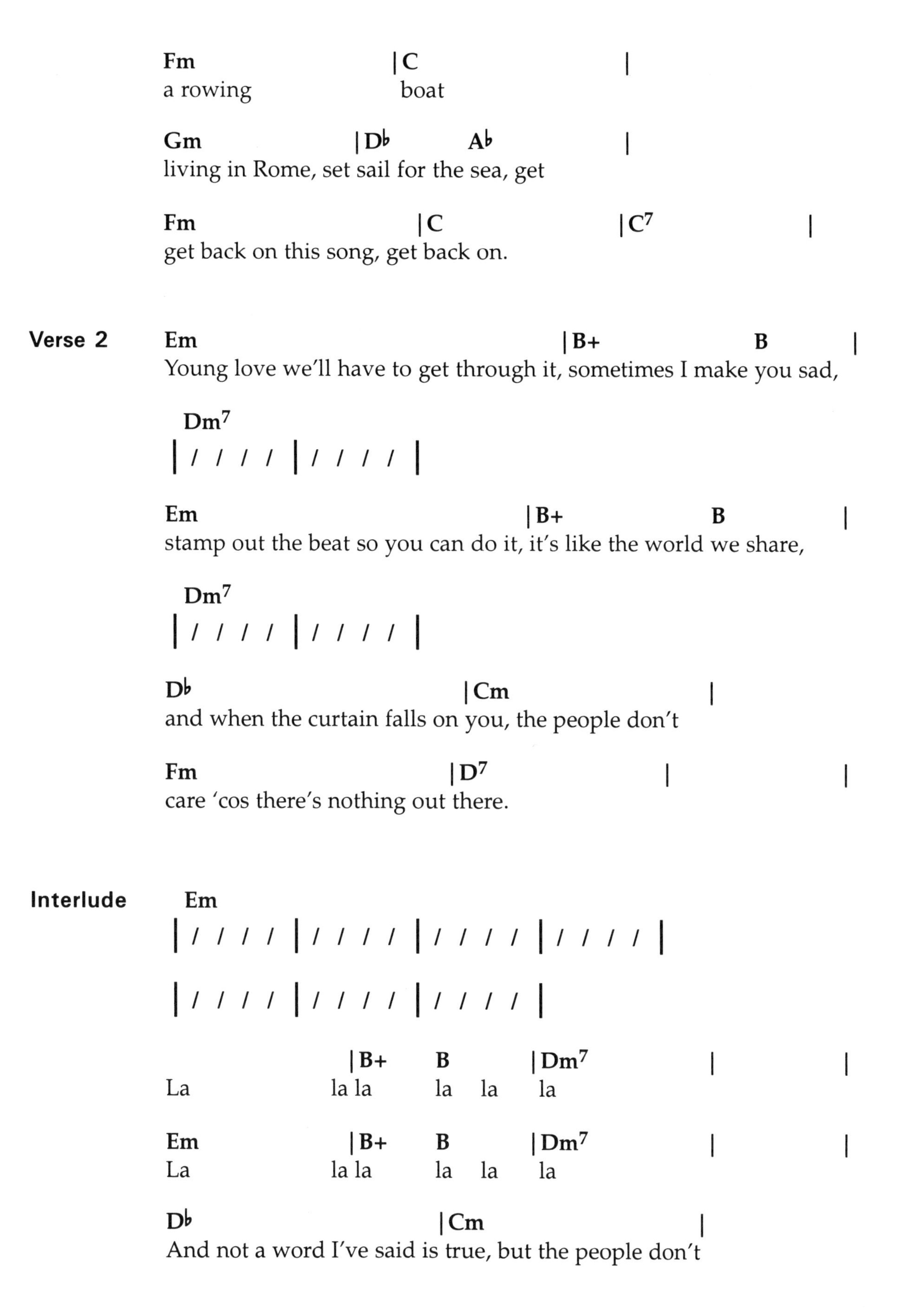
Fm | C |
a rowing boat
Gm | D♭ A♭ |
living in Rome, set sail for the sea, get
Fm | C | C7 |
get back on this song, get back on.
Verse 2
Em | B+ B |
Young love we'll have to get through it, sometimes I make you sad,
Dm7
| / / / / | / / / / |
Em | B+ B |
stamp out the beat so you can do it, it's like the world we share,
Dm7
| / / / / | / / / / |
D♭ | Cm |
and when the curtain falls on you, the people don't
Fm | D7 | |
care 'cos there's nothing out there.
Interlude
Em
/ / / /	/ / / /	/ / / /	/ / / /
/ / / /	/ / / /	/ / / /
B+ B	Dm7	
La la la la la la
Em | B+ B | Dm7 | |
La la la la la la
D♭ | Cm |
And not a word I've said is true, but the people don't

Fm | **D⁷** | |
care 'cos there's nothing out there,

B♭ | **C** | **D** | ‖
don't you know.

Sun Hits The Sky

Words and Music by
DANIEL GOFFEY, GARETH COOMBES, MICHAEL QUINN AND ROBERT COOMBES

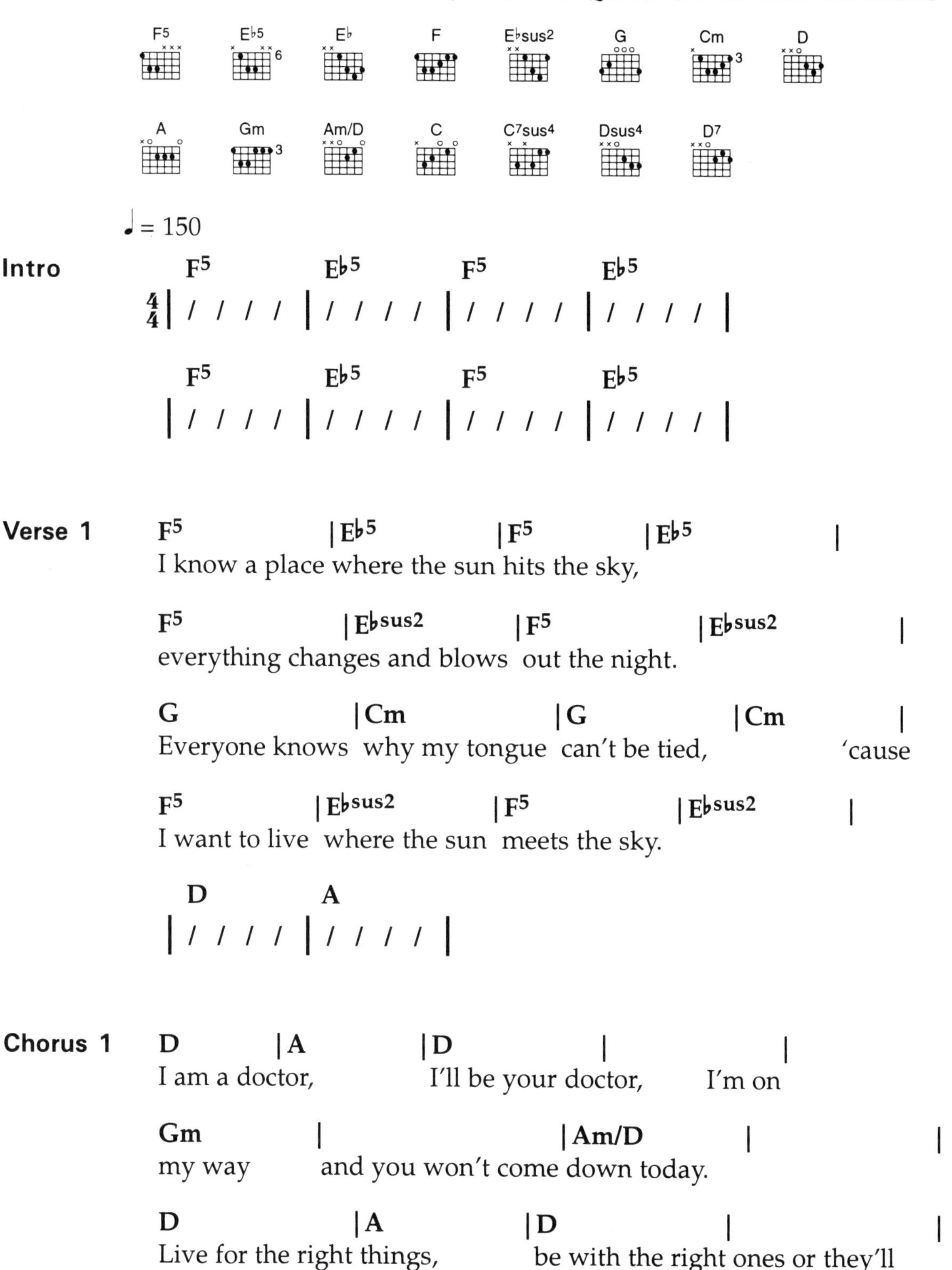

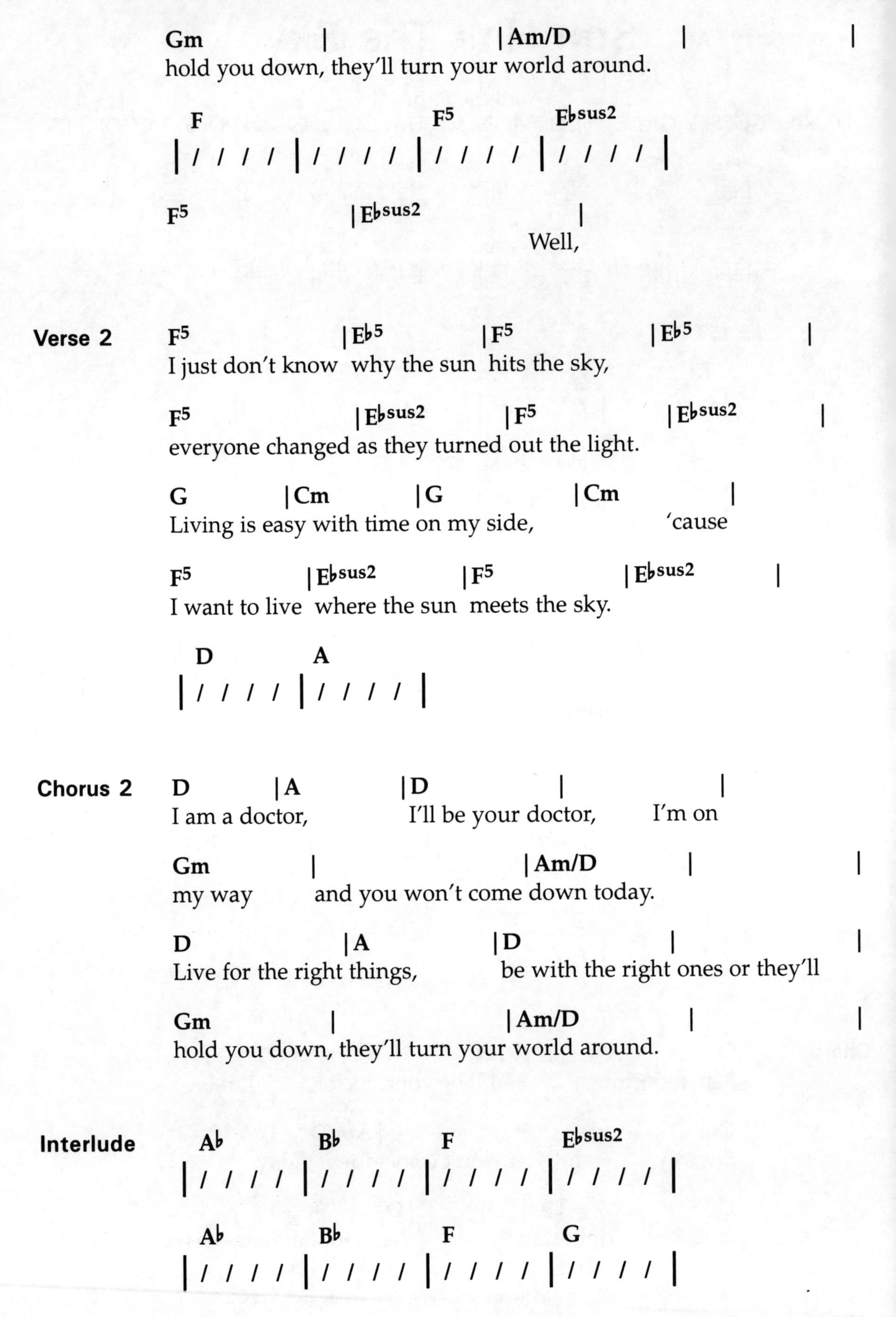
Gm | |Am/D | |
hold you down, they'll turn your world around.
F F5 E♭sus2
F5 |E♭sus2 |
Well,
Verse 2
F5 |E♭5 |F5 |E♭5 |
I just don't know why the sun hits the sky,
F5 |E♭sus2 |F5 |E♭sus2 |
everyone changed as they turned out the light.
G |Cm |G |Cm |
Living is easy with time on my side, 'cause
F5 |E♭sus2 |F5 |E♭sus2 |
I want to live where the sun meets the sky.
D A
Chorus 2
D |A |D | |
I am a doctor, I'll be your doctor, I'm on
Gm | |Am/D | |
my way and you won't come down today.
D |A |D | |
Live for the right things, be with the right ones or they'll
Gm | |Am/D | |
hold you down, they'll turn your world around.
Interlude
A♭ B♭ F E♭sus2
A♭ B♭ F G

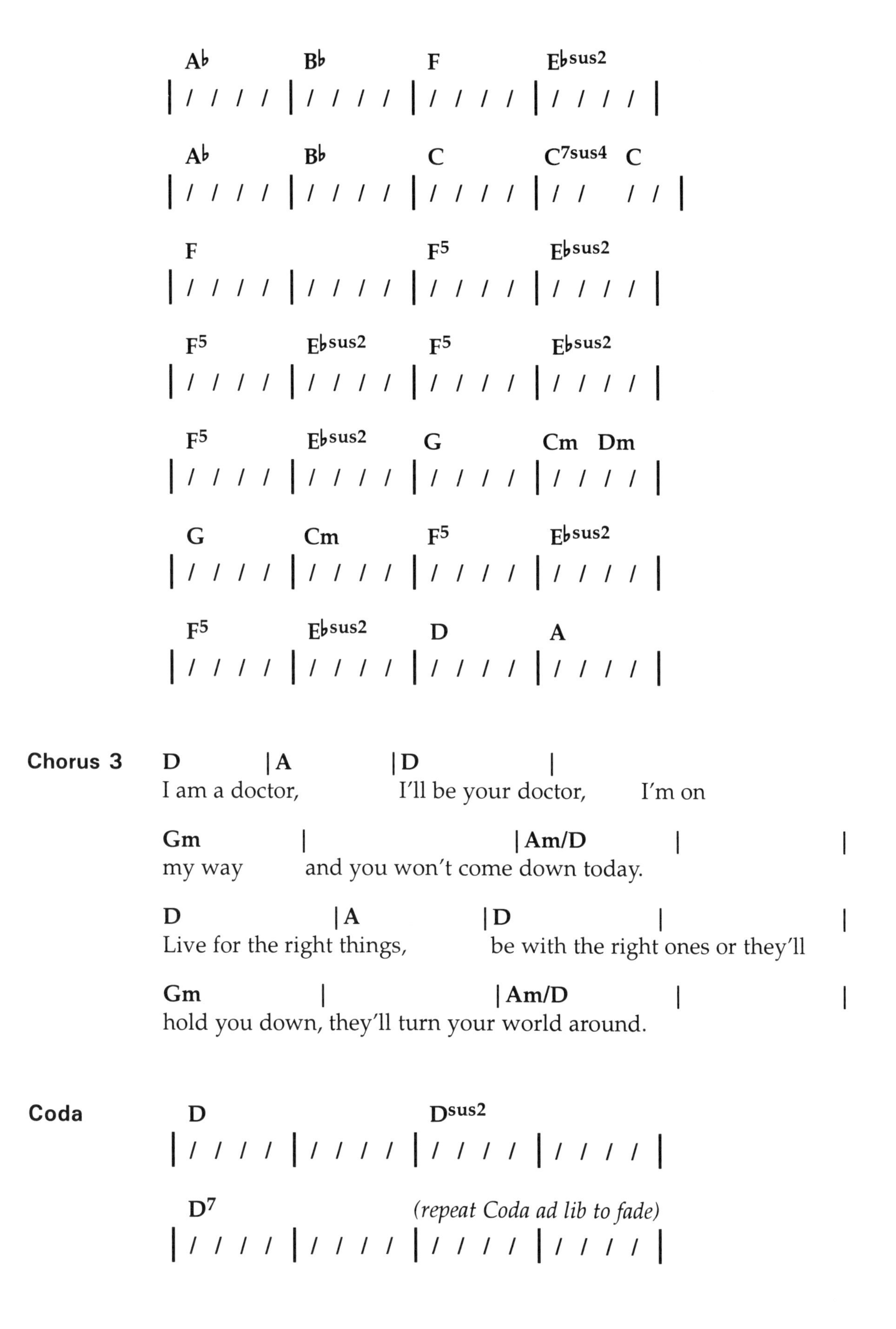

A♭ B♭ F E♭sus2
A♭ B♭ C C7sus4 C
F F5 E♭sus2
F5 E♭sus2 F5 E♭sus2
F5 E♭sus2 G Cm Dm
G Cm F5 E♭sus2
F5 E♭sus2 D A
Chorus 3
D |A |D |
I am a doctor, I'll be your doctor, I'm on
Gm | |Am/D | |
my way and you won't come down today.
D |A |D | |
Live for the right things, be with the right ones or they'll
Gm | |Am/D | |
hold you down, they'll turn your world around.
Coda
D Dsus2
D7
(repeat Coda ad lib to fade)

We're Not Supposed To

Words and Music by
DANIEL GOFFEY, GARETH COOMBES AND MICHAEL QUINN

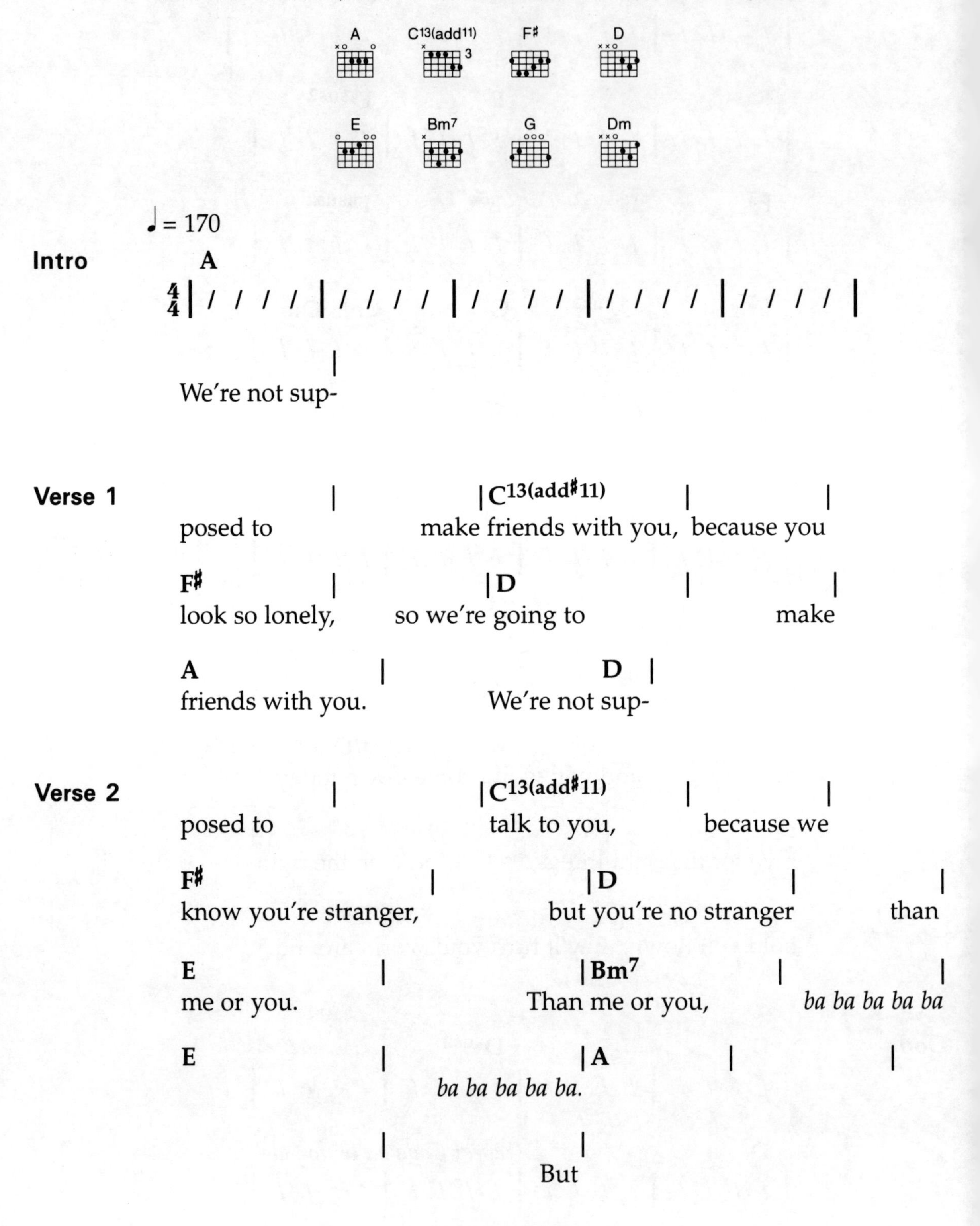

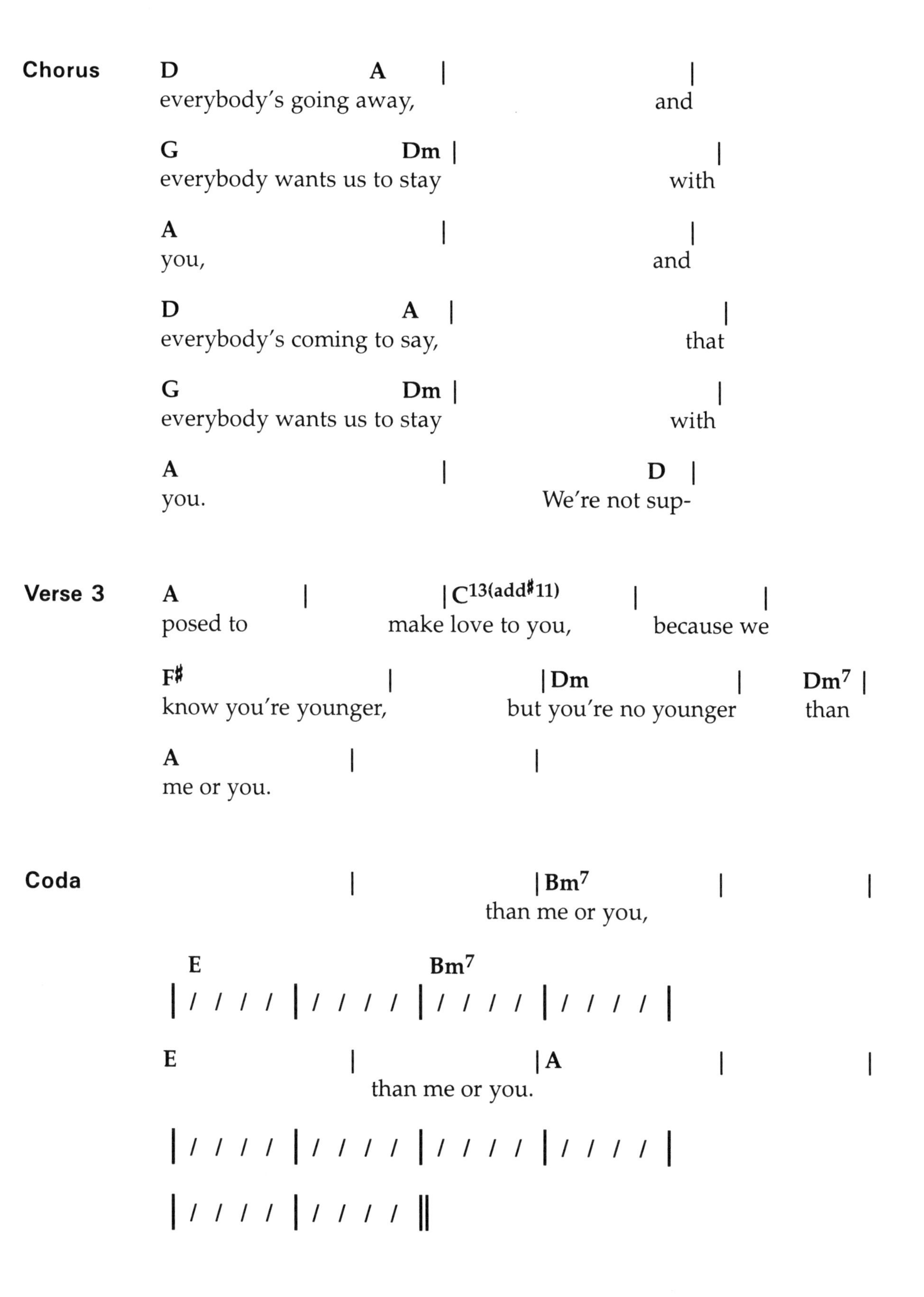
Chorus
D A | |
everybody's going away, and
G Dm | |
everybody wants us to stay with
A | |
you, and
D A | |
everybody's coming to say, that
G Dm | |
everybody wants us to stay with
A | D |
you. We're not sup-
Verse 3
A | | C13(add#11) | |
posed to make love to you, because we
F# | | Dm | Dm7 |
know you're younger, but you're no younger than
A | |
me or you.
Coda
| | Bm7 | |
than me or you,
E Bm7
| / / / / | / / / / | / / / / | / / / / |
E | | A | |
than me or you.
| / / / / | / / / / | / / / / | / / / / |
| / / / / | / / / / ||

Time To Go

Words and Music by
DANIEL GOFFEY, GARETH COOMBES AND MICHAEL QUINN

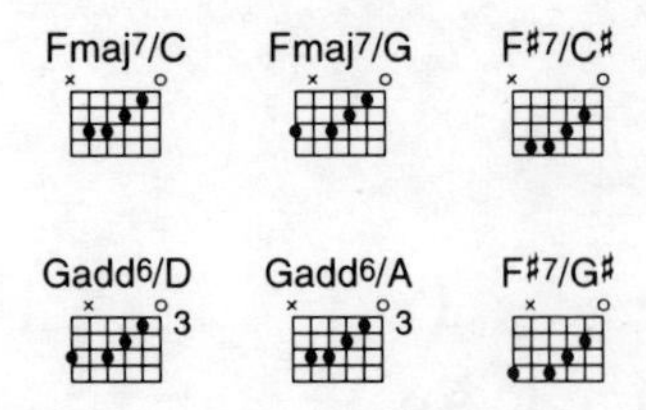

Intro ♩ = 106

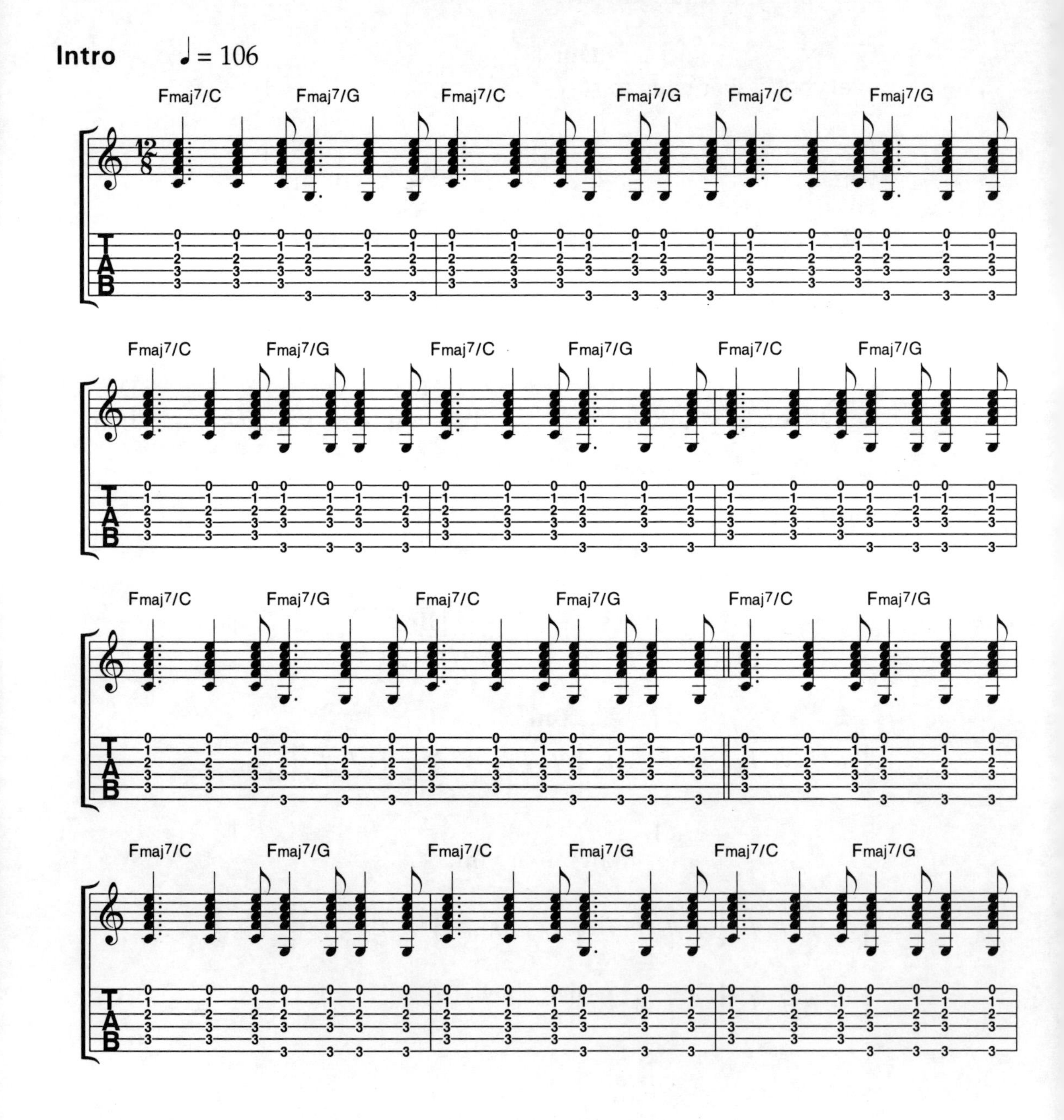

Verse 1

Fmaj7/C Fmaj7/G | Fmaj7/C Fmaj7/G |
Thanks to everyone for everything you've done, but now it's

Fmaj7/C Fmaj7/G | Fmaj7/C Fmaj7/G |
time to go.

Fmaj7/C Fmaj7/G |
You know it's hard, we've had some

Fmaj7/C Fmaj7/G |
fun, but now the moment's come, it's

Fmaj7/C Fmaj7/G | Fmaj7/C Fmaj7/G |
time to go.

Chorus

Gadd6/D Gadd6/A | F#7/C# F#7/G# |
Who could ask for more?

Fmaj7/C Fmaj7/G Fmaj7/C Fmaj7/G
| / / / / | / / / / |

Fmaj7/C Fmaj7/G Fmaj7/C Fmaj7/G
| / / / / | / / / / |

Fmaj7/C Fmaj7/G Fmaj7/C Fmaj7/G
| / / / / | / / / / |

Fmaj7/C Fmaj7/G F#7/C#
| / / / / | / / / / |

Gadd6/D Gadd6/A | F#7/C# F#7/G# |
Who could ask for more?

Verse 2

Fmaj7/C Fmaj7/G | Fmaj7/C Fmaj7/G |
Thanks to everyone for everything you've done, but now it's

Fmaj7/C Fmaj7/G | Fmaj7/C Fmaj7/G |
time to go.

Fmaj7/C Fmaj7/G |
You know it's hard, we've had some

F^{maj7}/C F^{maj7}/G |
fun, but now the moment's come, it's

F^{maj7}/C F^{maj7}/G | F^{maj7}/C F^{maj7}/G |
time to go.

Coda G^{add6}/D G^{add6}/A | $F\sharp^{7}/C\sharp$ $F\sharp^{7}/G\sharp$ |
Who could ask for more?

F^{maj7}/C F^{maj7}/G F^{maj7}/C F^{maj7}/G F^{maj7}/C
| / / / / | / / / / | / / / / ||

Printed in England
The Panda Group · Haverhill · Suffolk · 11/99